韓國鈞朋僚墨迹

【下册】

社會科學文獻出版社

SSAP

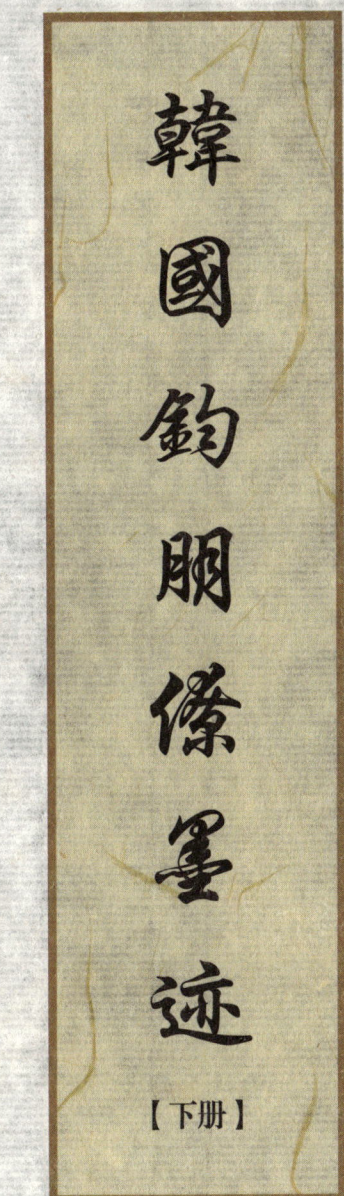

名人手札

周震鱗（一八七五—一九六四）湖南長沙人，曾參加中國同盟會、中華國民黨，民國年間曾任國民政府立法院立法委員，解放後任全國政協委員、人大代表。

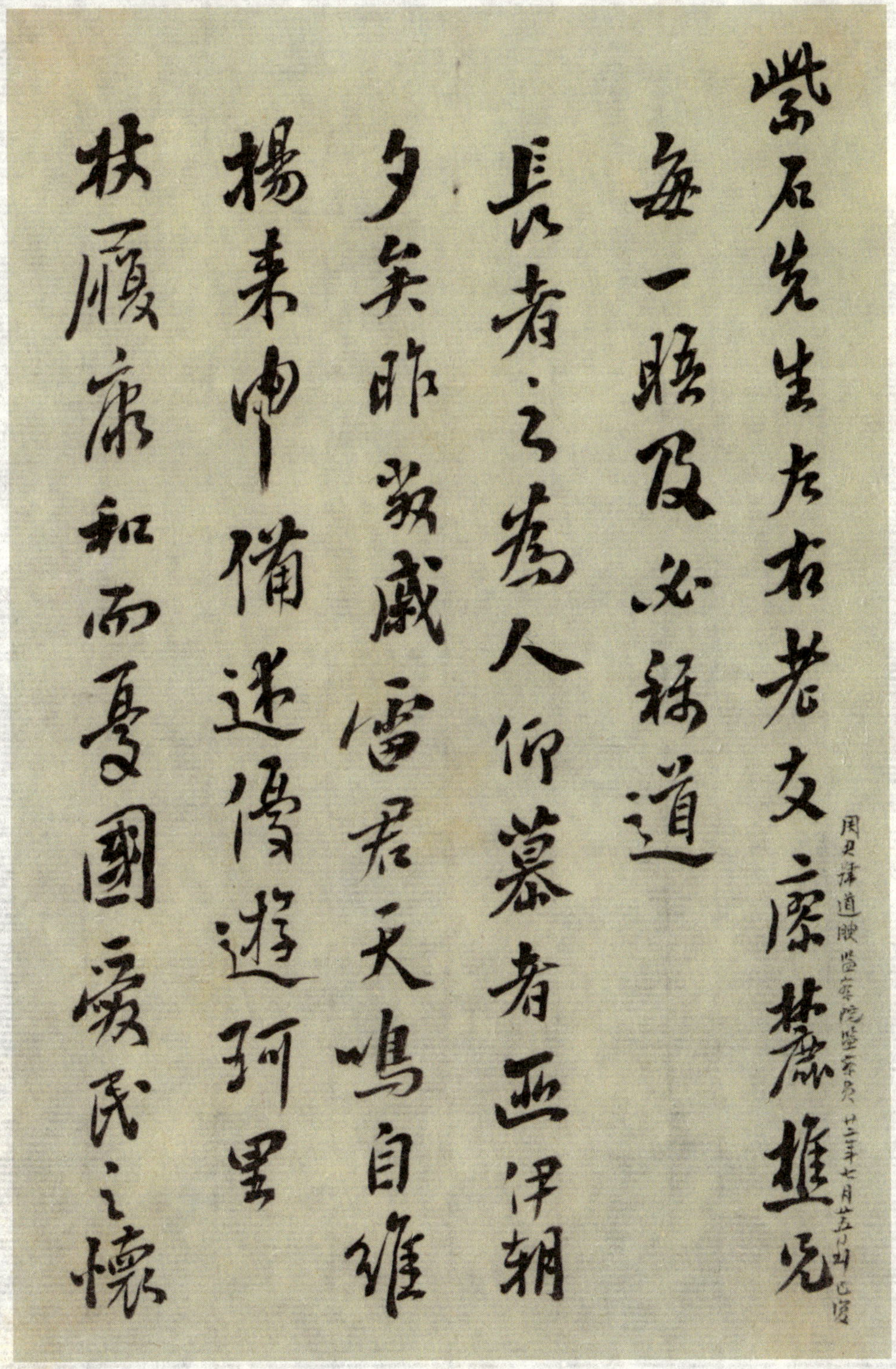
紫石先生左右老友康藥進兄
每一晤及必稱道
長者之為人仰慕者亟伊朝
夕矣昨散戲當君天鳴自維
揚來申備述優遊珂里
杖履康和而憂國愛民之懷

周君鱗道腴 監察院監察委員 廿二年七月廿二日已覆

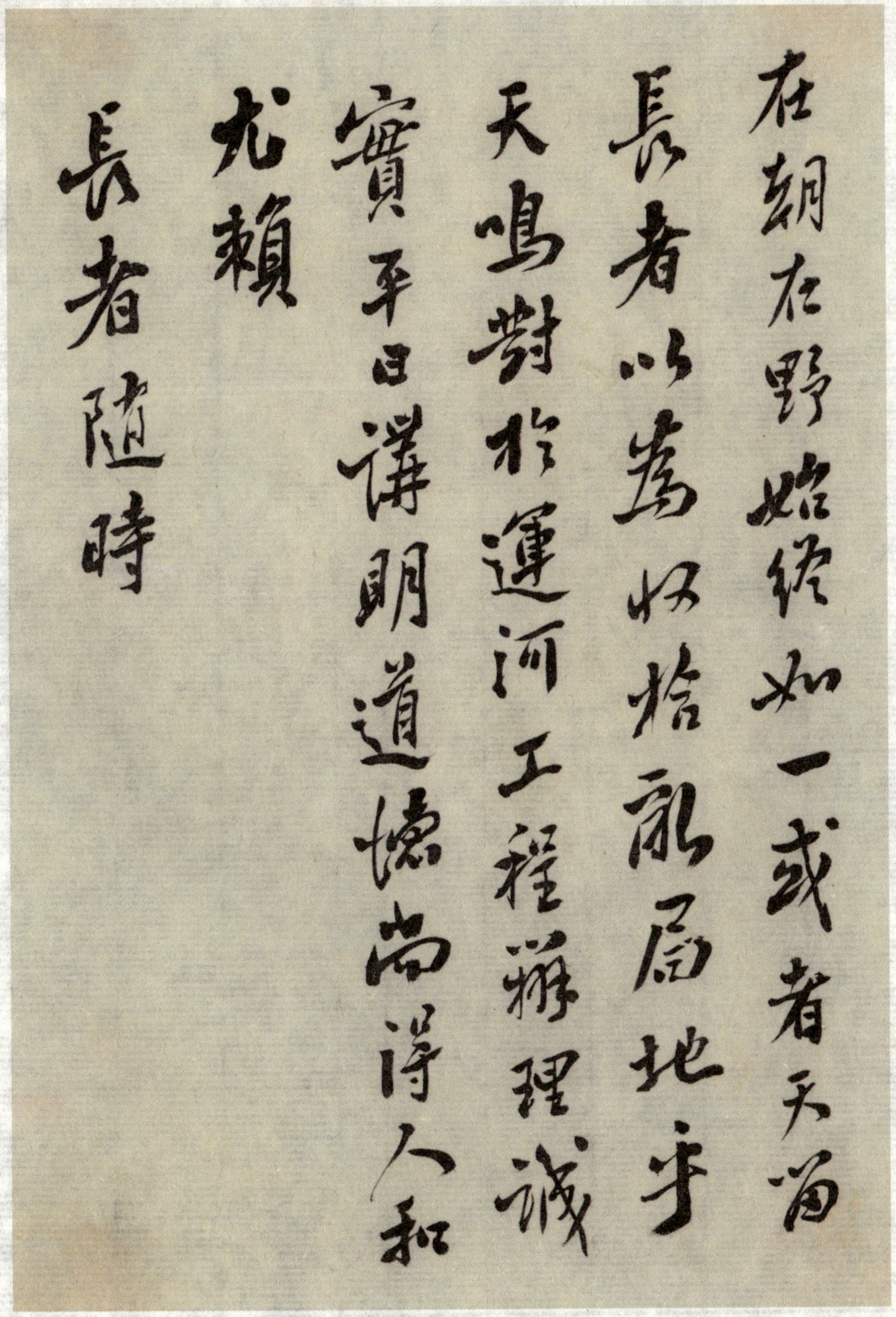
在朝在野始終如一蔵者天留
長者以為收拾殘局地步
天鳴對於運河工程辦理識
實平日講明道德尚得人和
尤賴
長者隨時

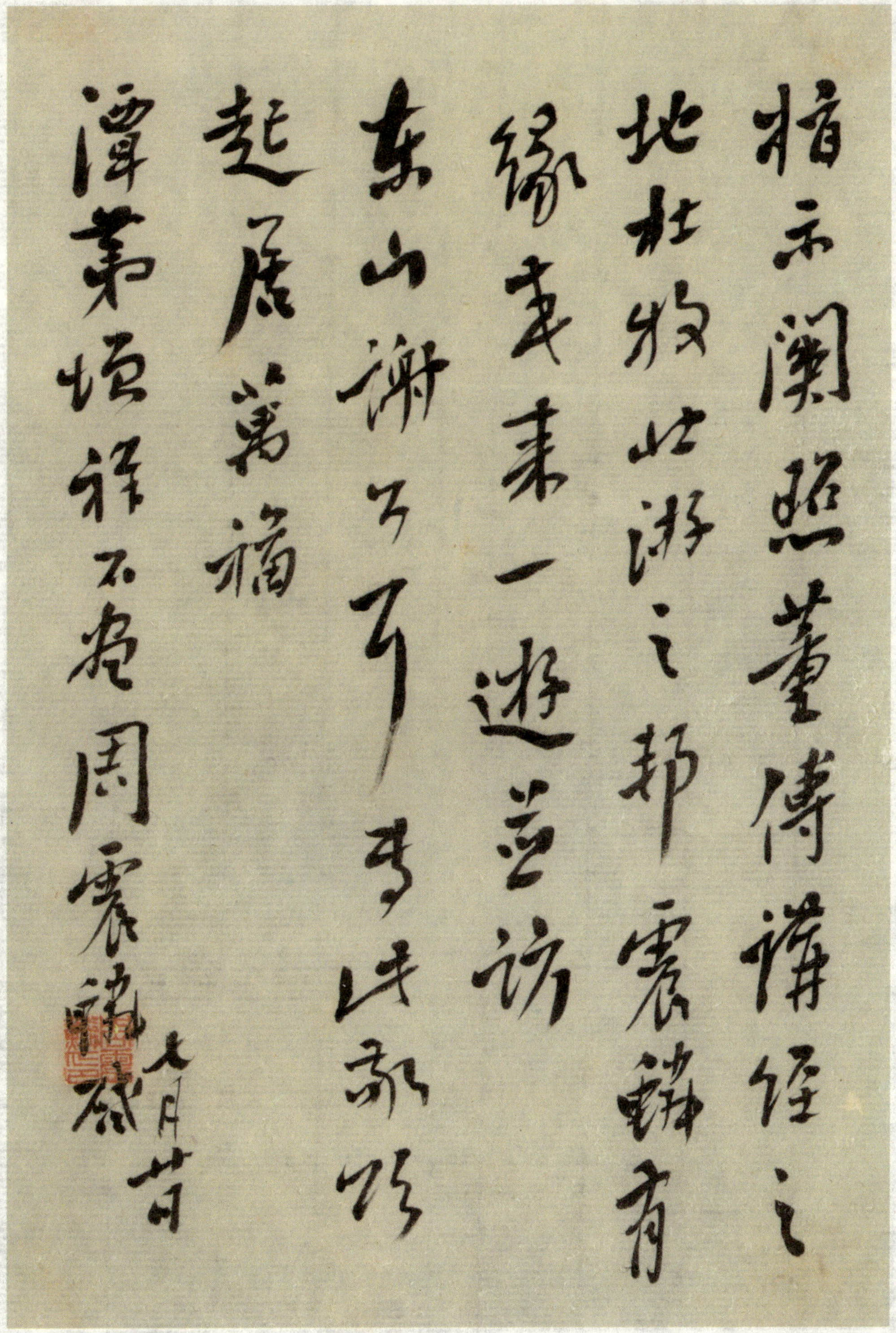

猶示闌照董傳講經之
地杜牧此游之邦震鱗有
緣未來一遊並訪
東山謝公可與時敘吟
起居萬福
潭第恒祥不宣 周震鱗 七月廿

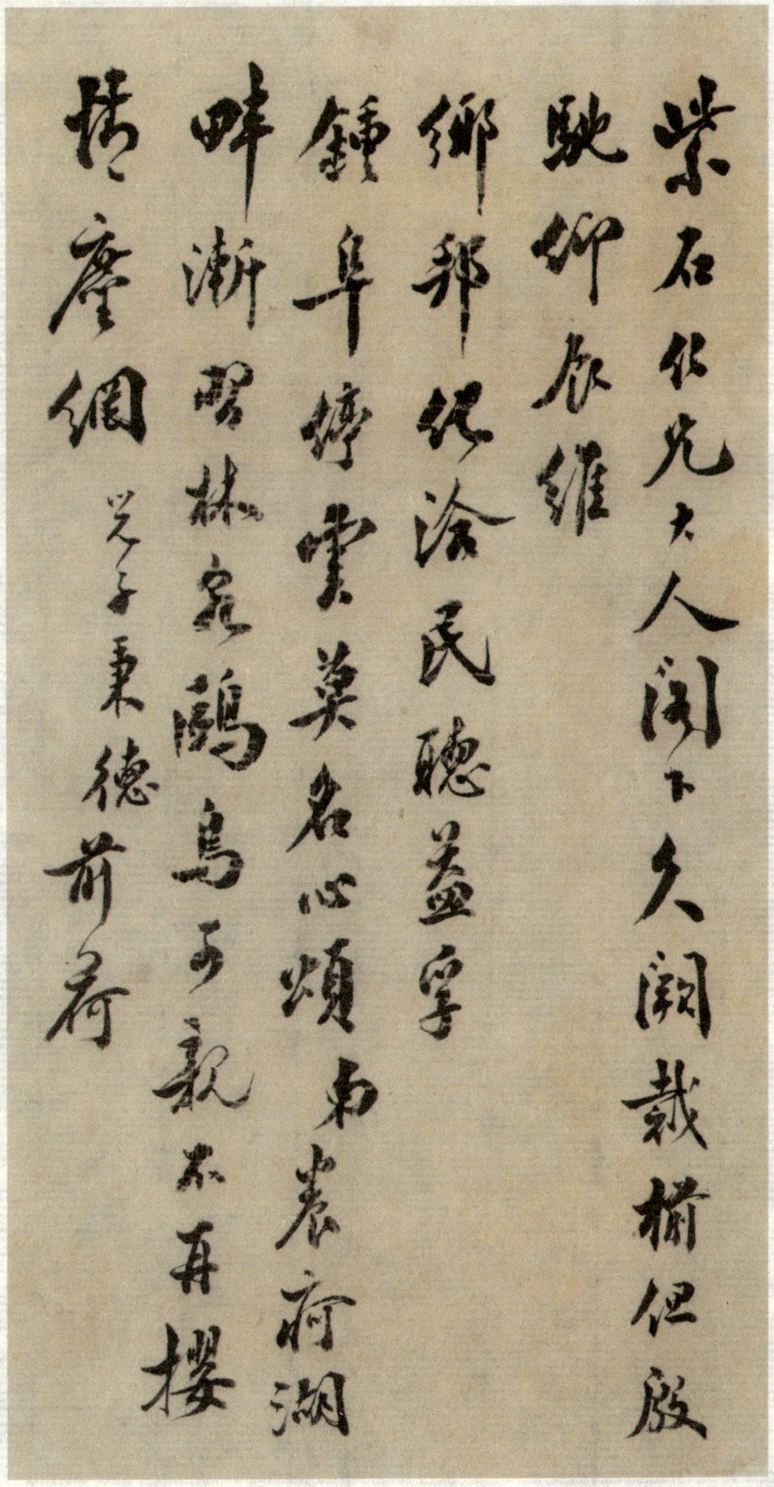

紫石仁兄大人閣下久闊裁楷但啟
馳仰依維
鄉邦德洽民聽益孚
鍾阜[illegible]雲莫名心頌東農府湖
畔漸習林泉鷗鳥可親不再攖
情塵網
兄弟秉德前府

沈金鑒（一八七五—一九二四）浙江湖州人，清末曾任安徽高等審判廳廳長、安徽提法使。民國年間曾任奉天府尹、浙江省省長。

裁植範珵注此精揩幸無貽誤耶
莫時訊事藥勵長傳送
威言批鶴昇一詠更試其妙可勝銘
刻厚宜媛靜候
恩施必厲為宋自效催地方自治進
步似運必求恐非外省人所能藉手

出地方自治果一旦依法實川天自
札此非必不堪經理松鄉言決矣兄
四礼就書盡以等效其雖祖精力
正經勤求
過丟機緣遂乎振委俾及本時懷
張東泳

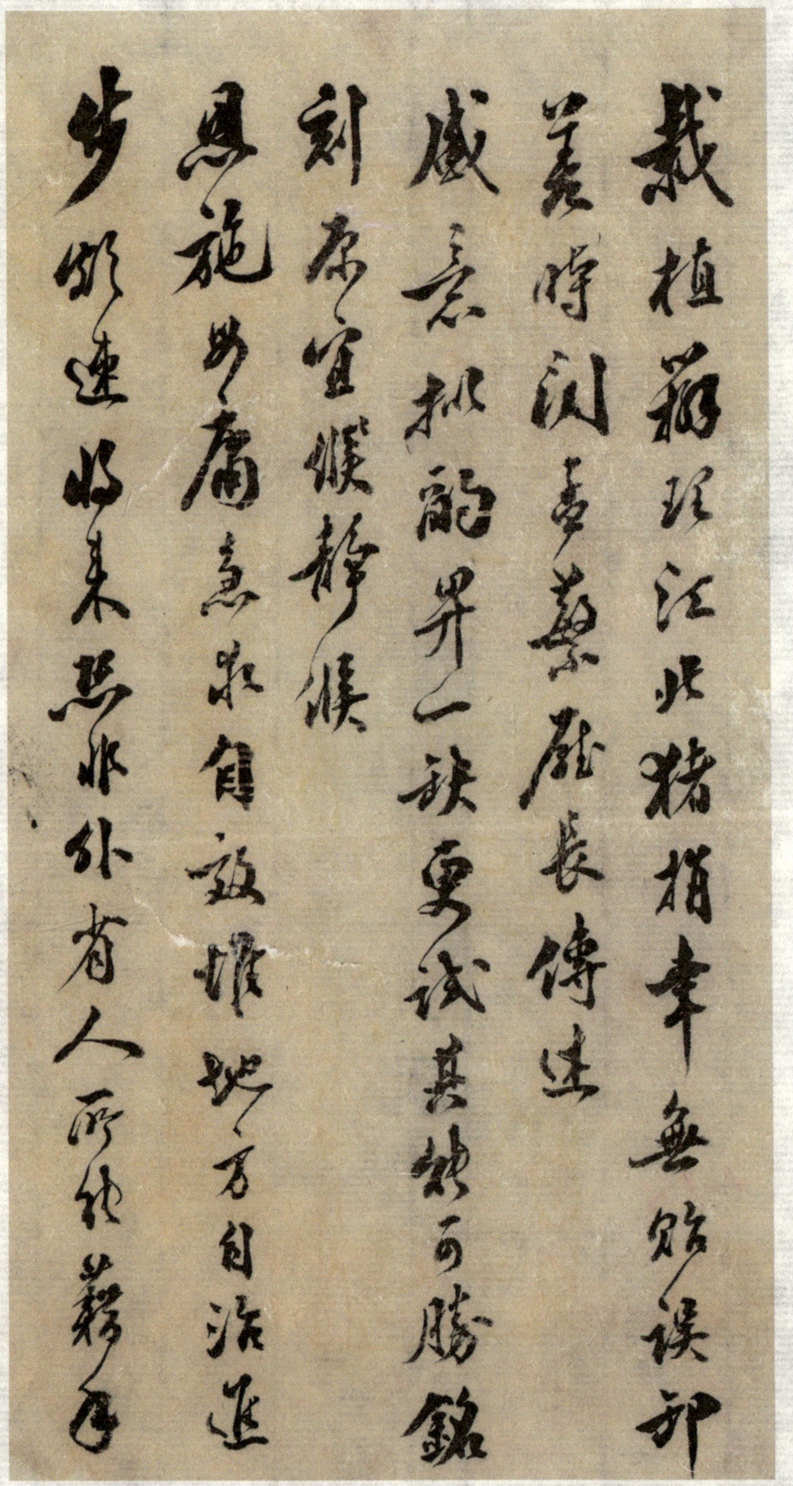

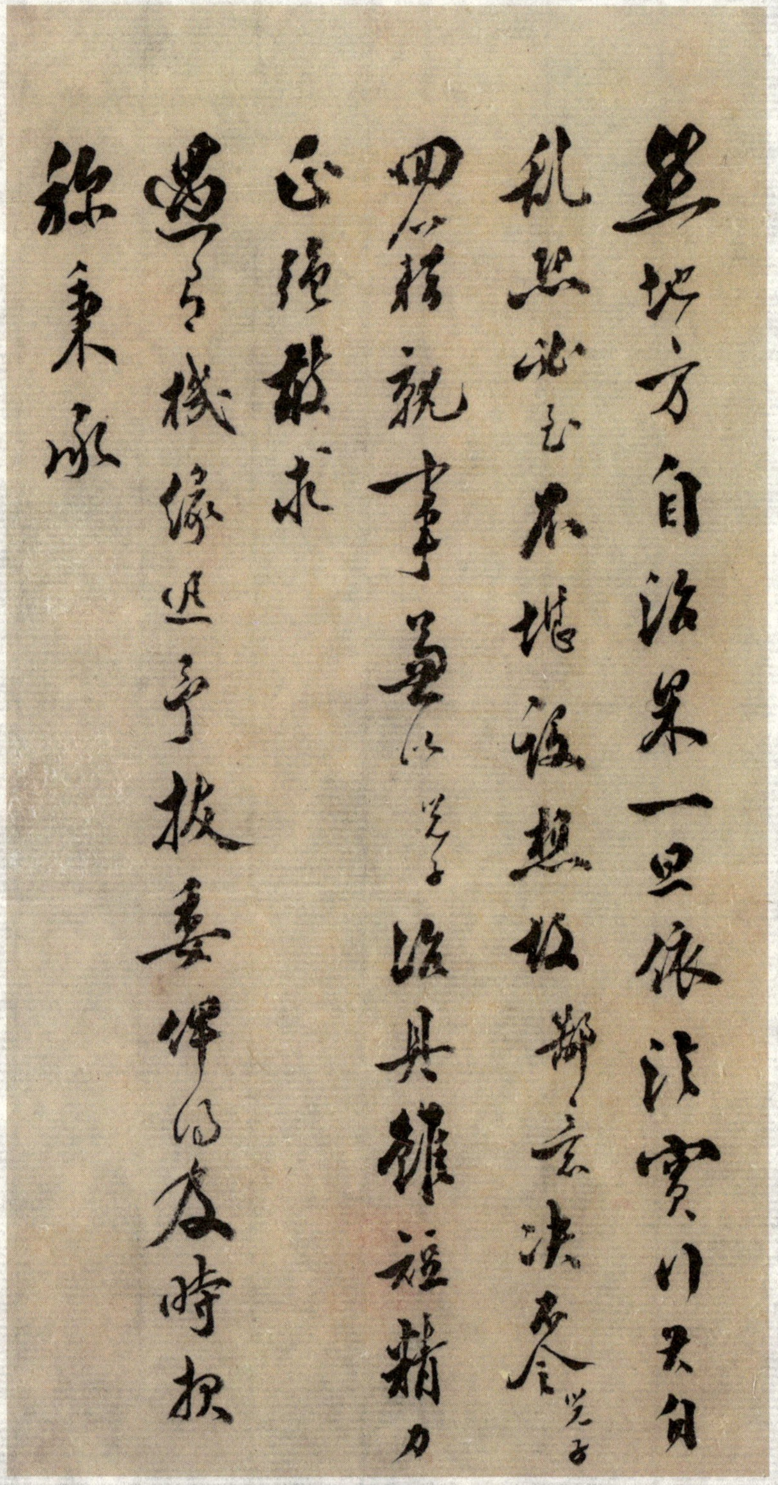

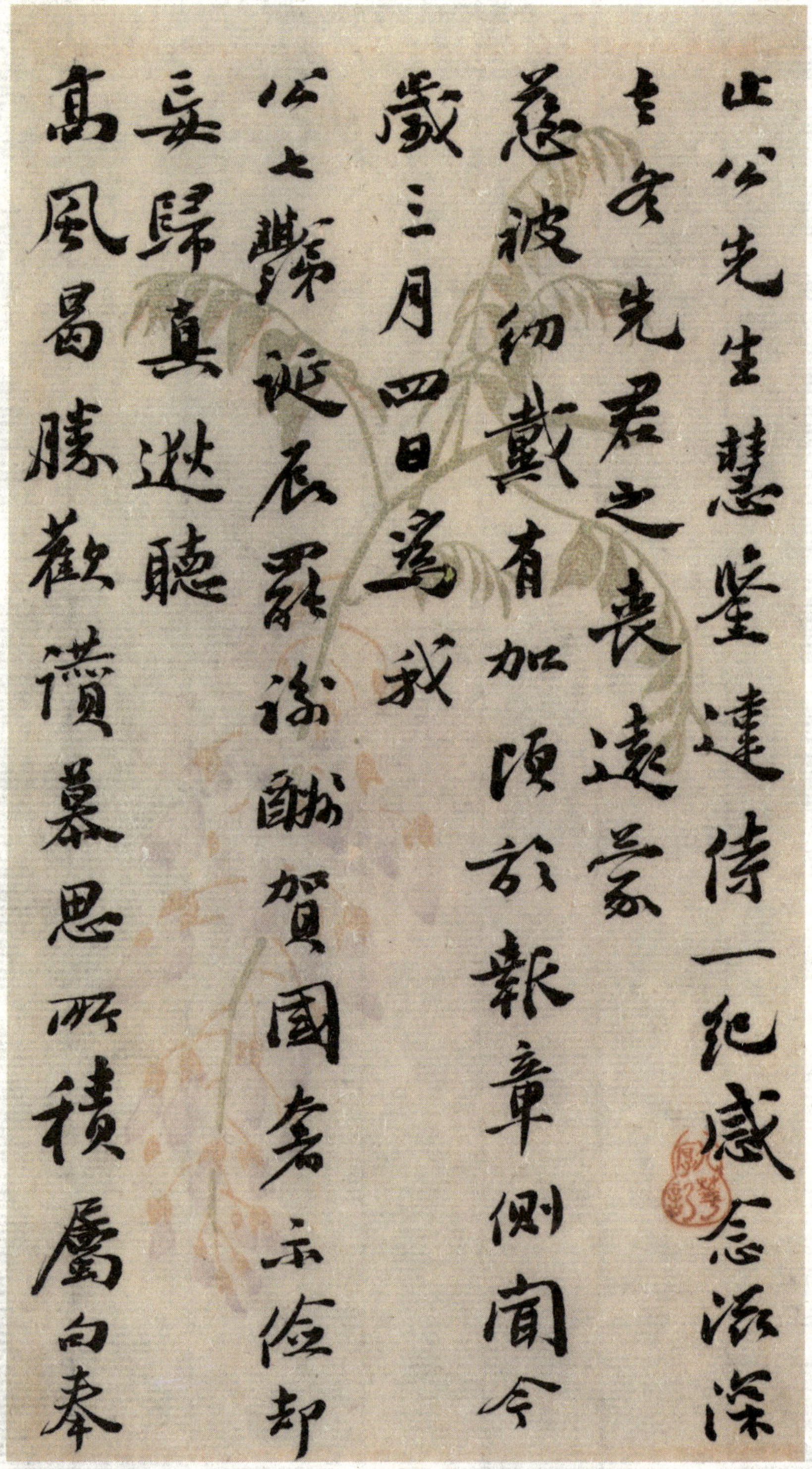

江　謙（一八七六－一九四二）江西婺源人，曾在張謇興辦的通州師範學堂任堂長、校長，民國年間被韓國鈞任命爲南京高等師範學校首任校長。

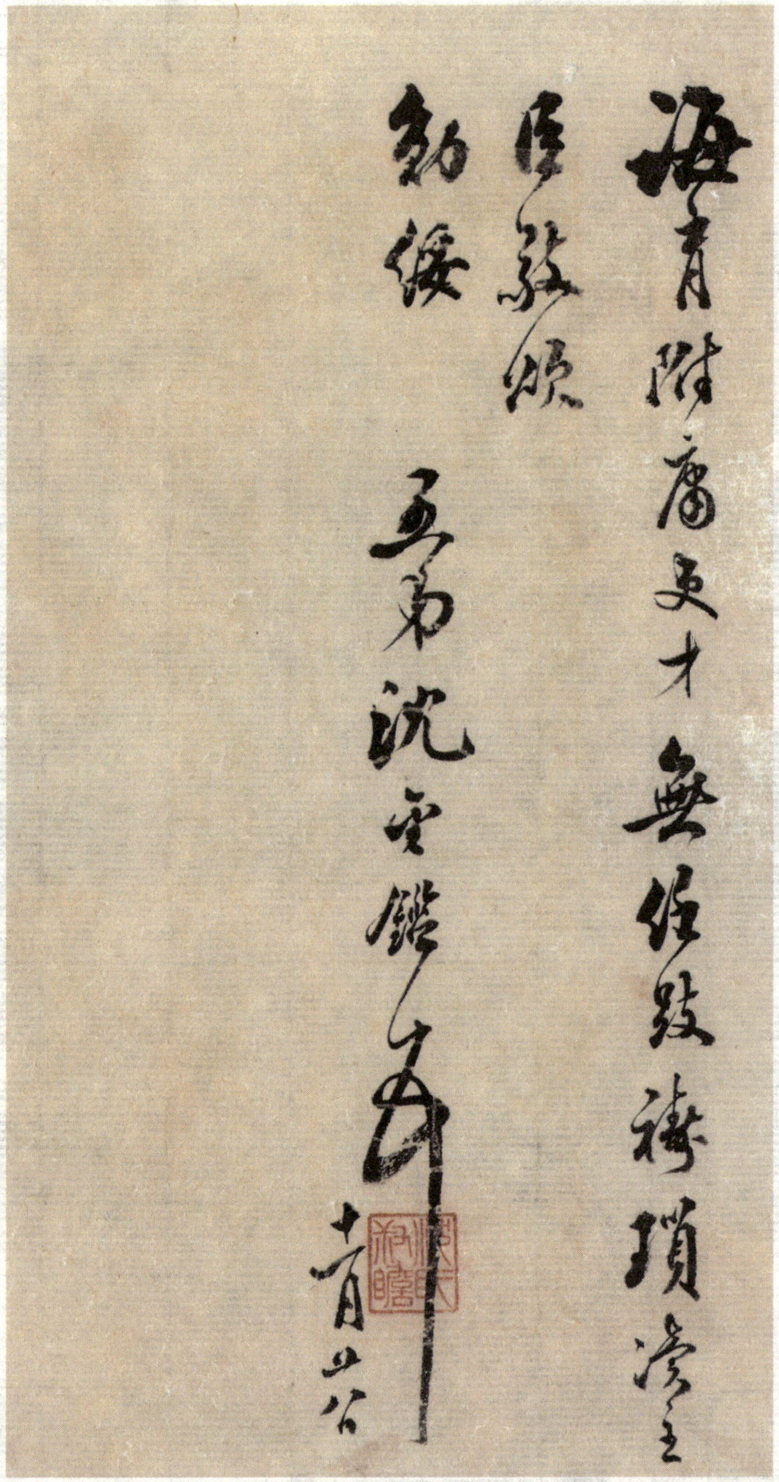

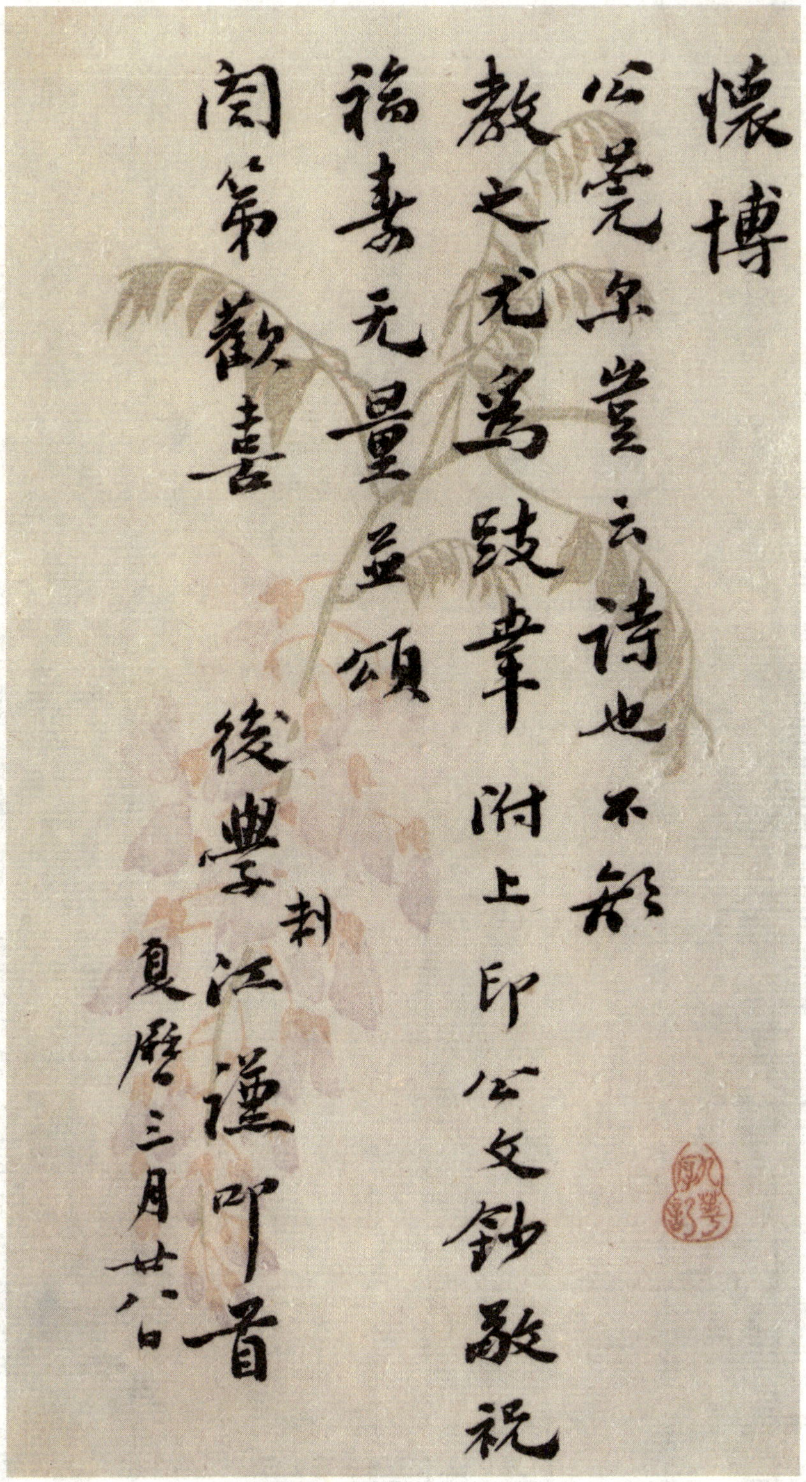

懷博
公莞尔豈云詩也不能
教之元爲跋章附上印公文鈔敬祝
福壽无量並頌
闔第歡喜
後學剌江謹叩首
夏曆三月廿六日

名人手札

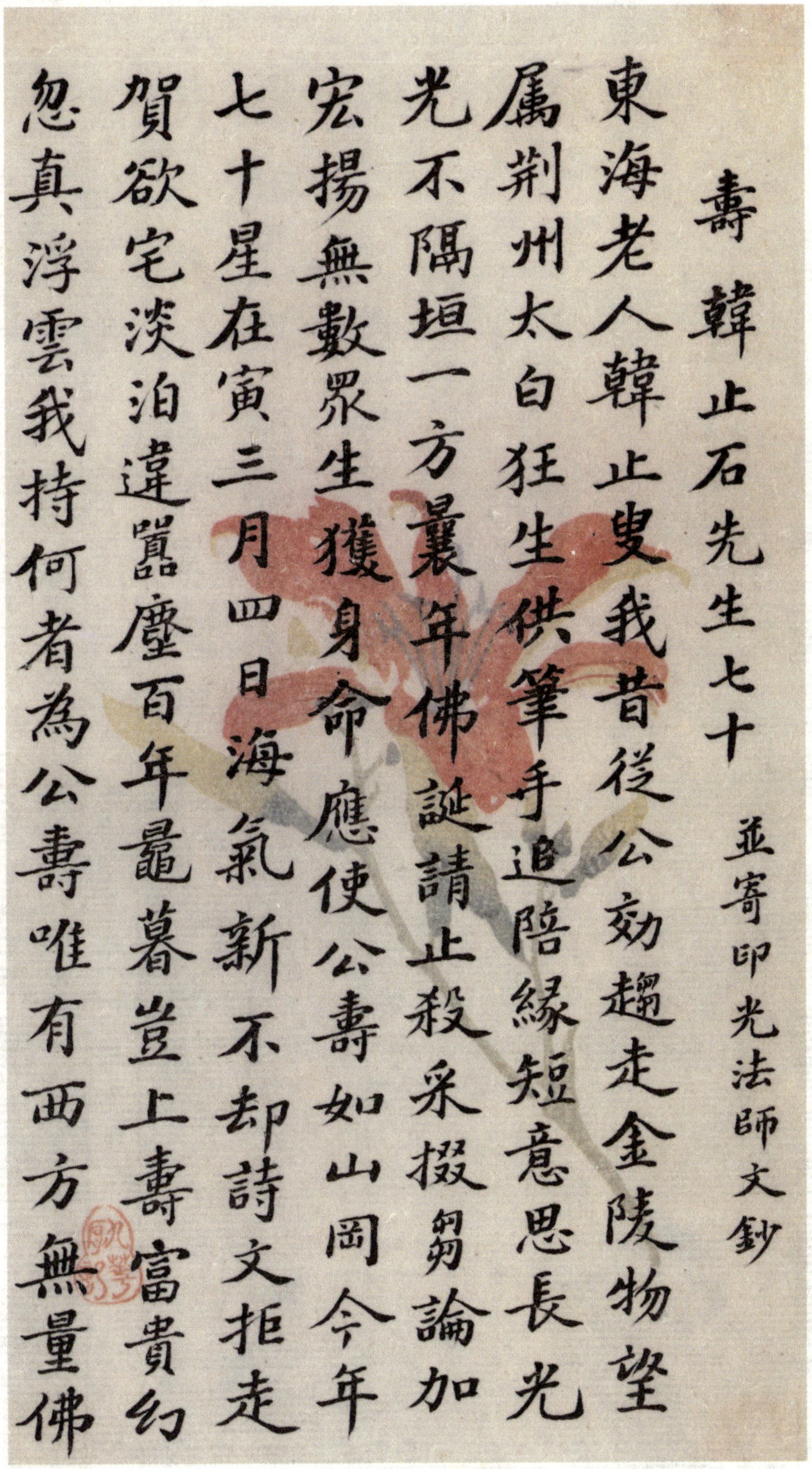

壽韓止石先生七十 並寄印光法師文鈔
東海老人韓止叟我昔從公効趨走金陵物望
屬荊州太白狂生供筆手追陪緣短意思長光
光不隔垣一方曩年佛誕請止殺采掇芻論加
宏揚無數衆生獲身命應使公壽如山岡今年
七十星在寅三月四日海氣新不却詩文拒走
賀欲宅淡泊違囂塵百年蘁暮豈上壽富貴幻
忽真浮雲我持何者為公壽唯有西方無量佛

韓國鈞朋僚墨迹

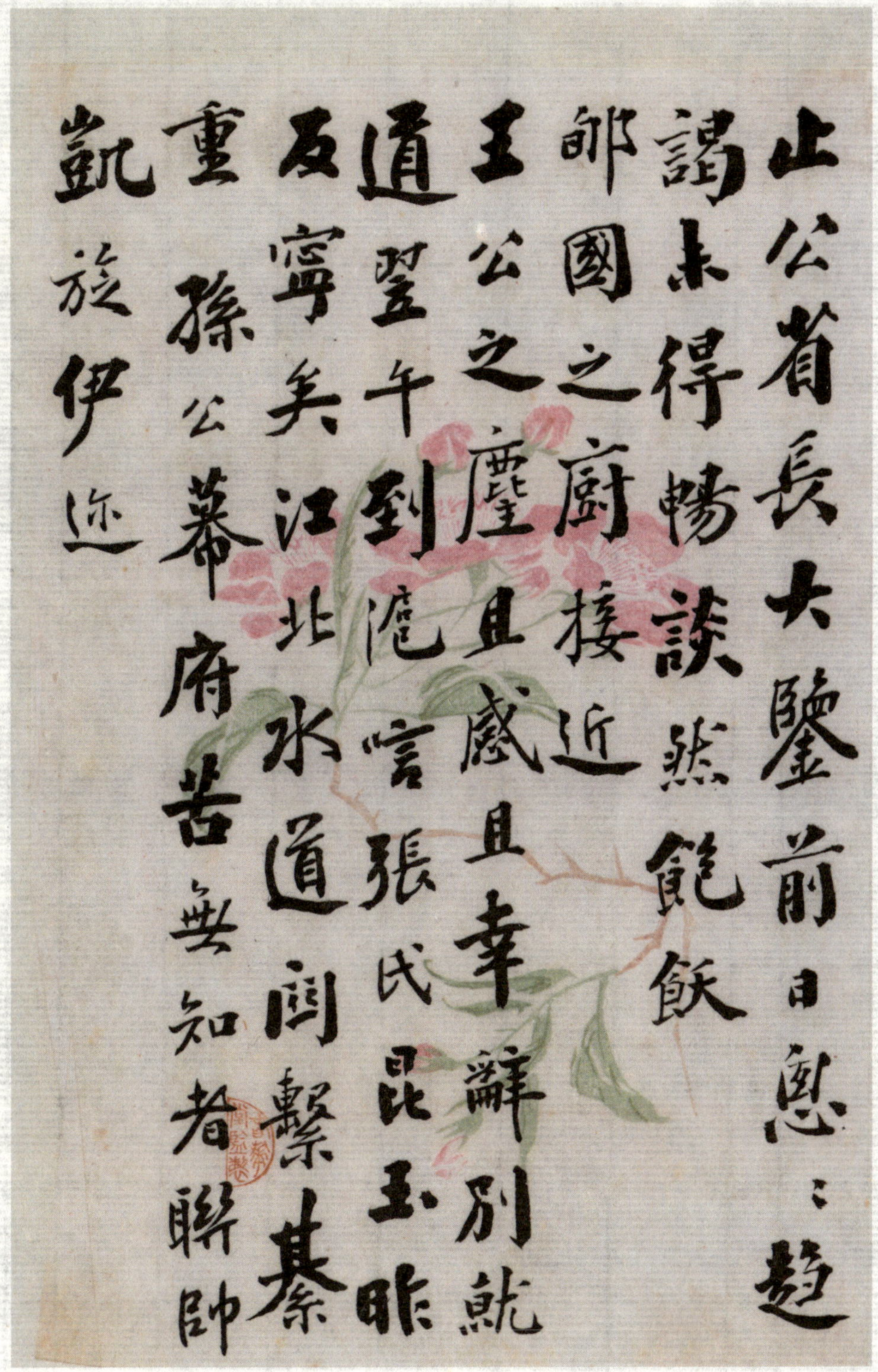

止公省長大鑒：前日怱〻趨謁，未得暢談，然飽飫郇國之廚，接近王公之塵，且感且幸。辭別就道，翌午到滬，晤張氏昆玉，昨反寧矣。江北水道關繫綦重，孫公幕府苦無知者，聯帥凱旋伊迩

徐鼎康（一八七六—一九三八）上海嘉定人，民國年間曾任江蘇省省長、江北運河工程局局長、江北運河區防汛辦事處主任，抗戰時曾拒絕日僞職務，保持民族氣節。

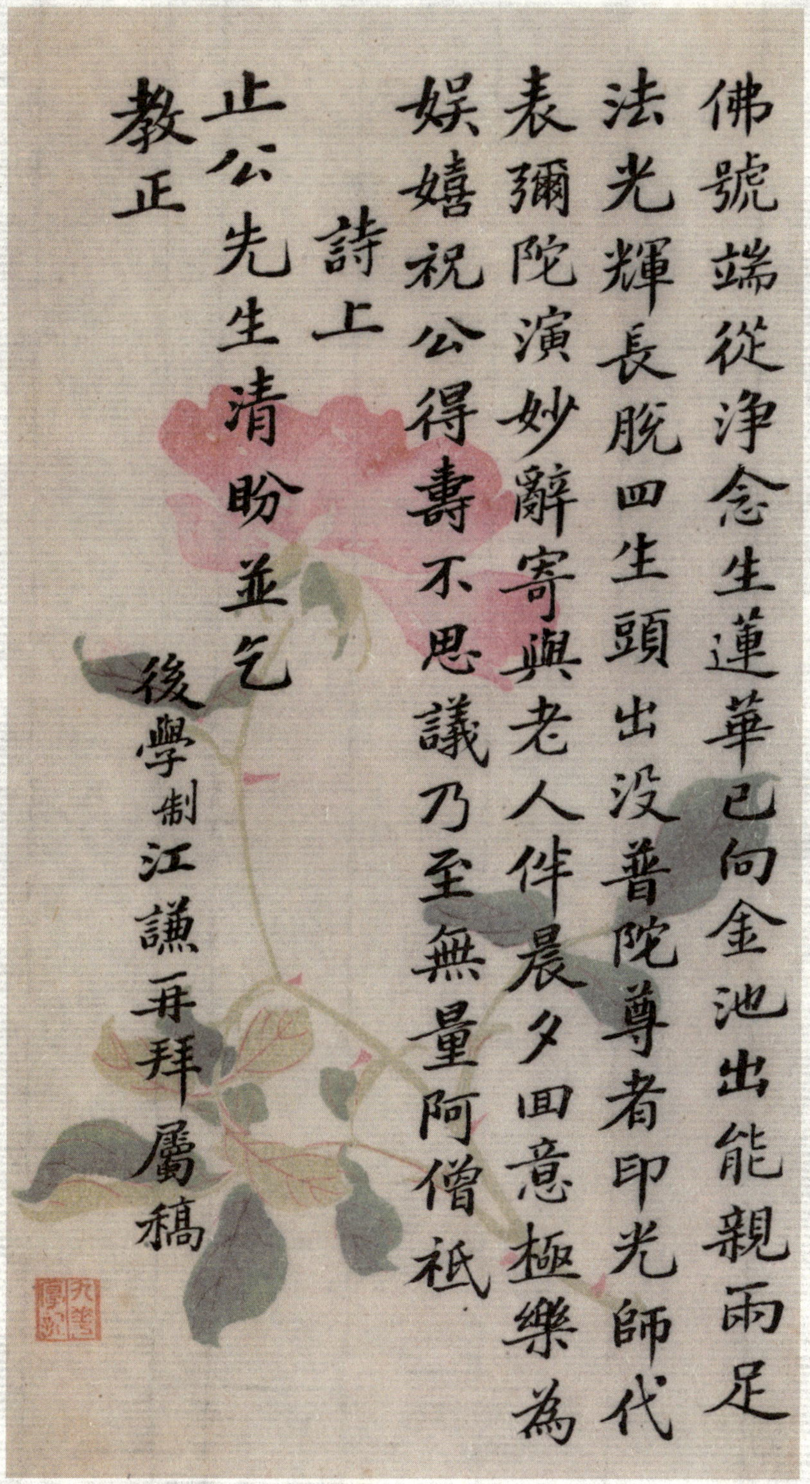

佛號端從淨念生，蓮華已向金池出。能親兩足法光輝，長胱四生頭出沒。普陀尊者印光師，代表彌陀演妙辭。寄與老人伴晨夕，回意極樂為娛嬉。祝公得壽不思議，乃至無量阿僧祇。

詩上

止公先生清盼，並乞

教正

後學制江謙再拜屬稿

韓國鈞朋僚墨迹

公能来肖有所陳說當可裨
補一切沿途与季俶詳言之
尚不以鄙說爲謬弟所患者
無此財力耳滬寧一帶謠言
漸息經此一促或冀少少安寧
亦蘇浙之幸也肅謝敬叩
道安霜寒惟
順時珍重鼎康謹上十一月五日

止老尊鑒春來殊無好懷前拜
手劄亦未裁答色商款已於第一次驗收
後充分接濟矣運局奉省令還往淮
陰業經分批前往鼎康十五前後啓行
撥歸揚條
公豫此次移局清理既竣儀亦一大結束
到浦另撥組織辦法前並就緒無如何
也鼎康忝爲長官惟有以身作則而連
月家用竟無所出薪支至三月不虞再

韓國鈞朋僚墨迹

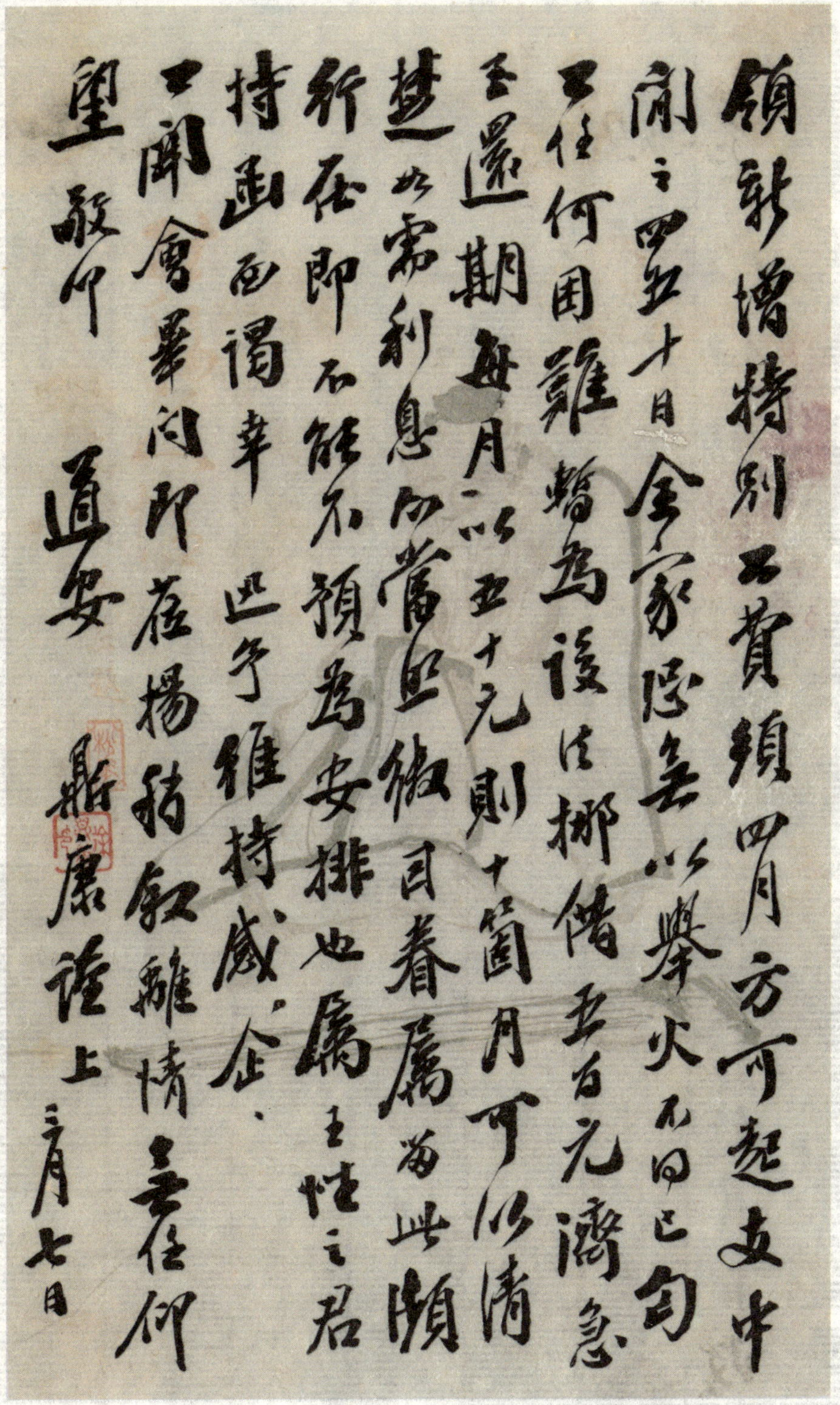

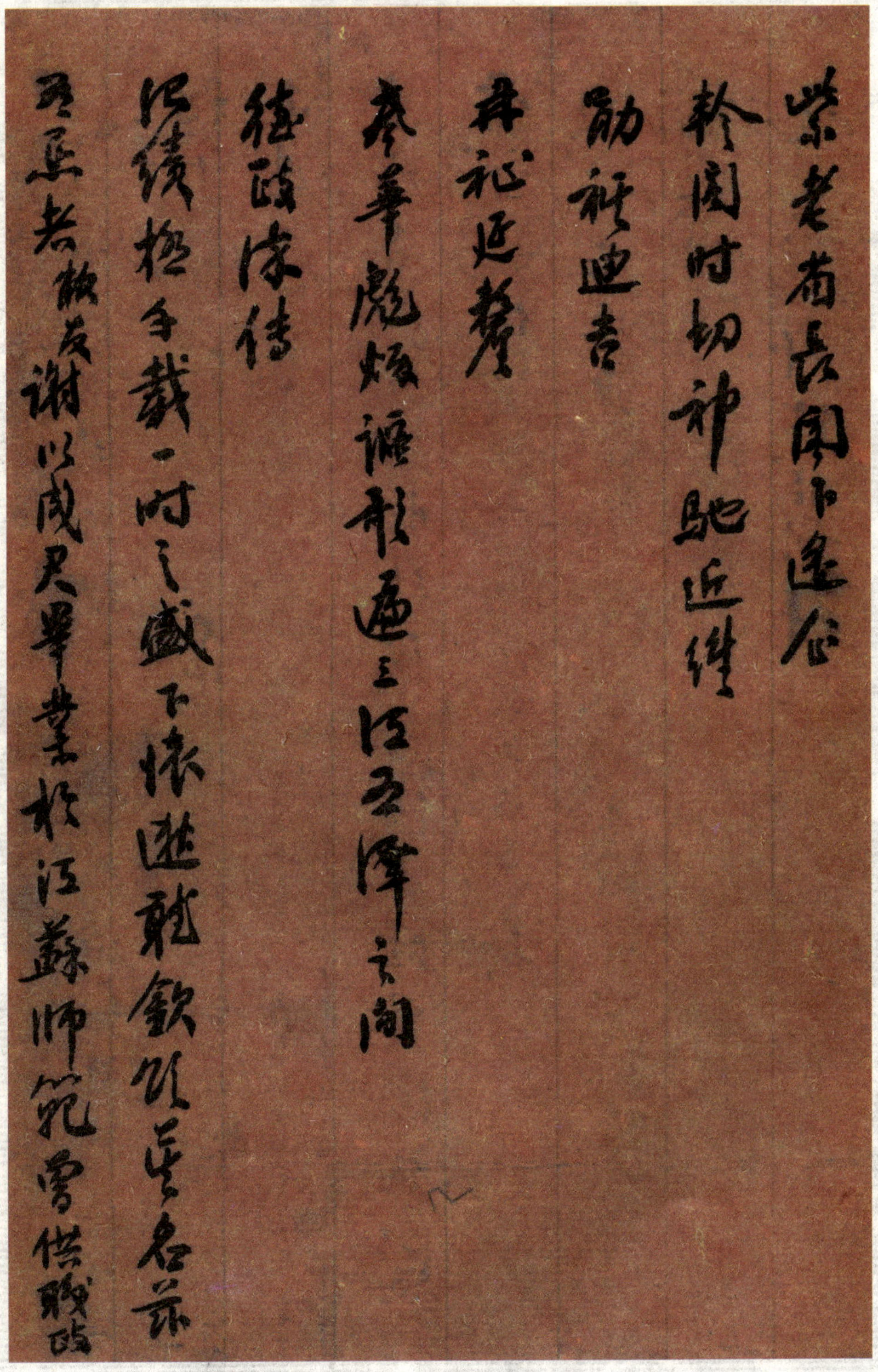

林長民（一八七六－一九二五）福建閩侯人，曾任段祺瑞政府司法總長、總統府顧問、外交委員會委員，曾參與發起組織國民外交協會，支持五四運動，後曾任國會衆議員、福建大學校長。

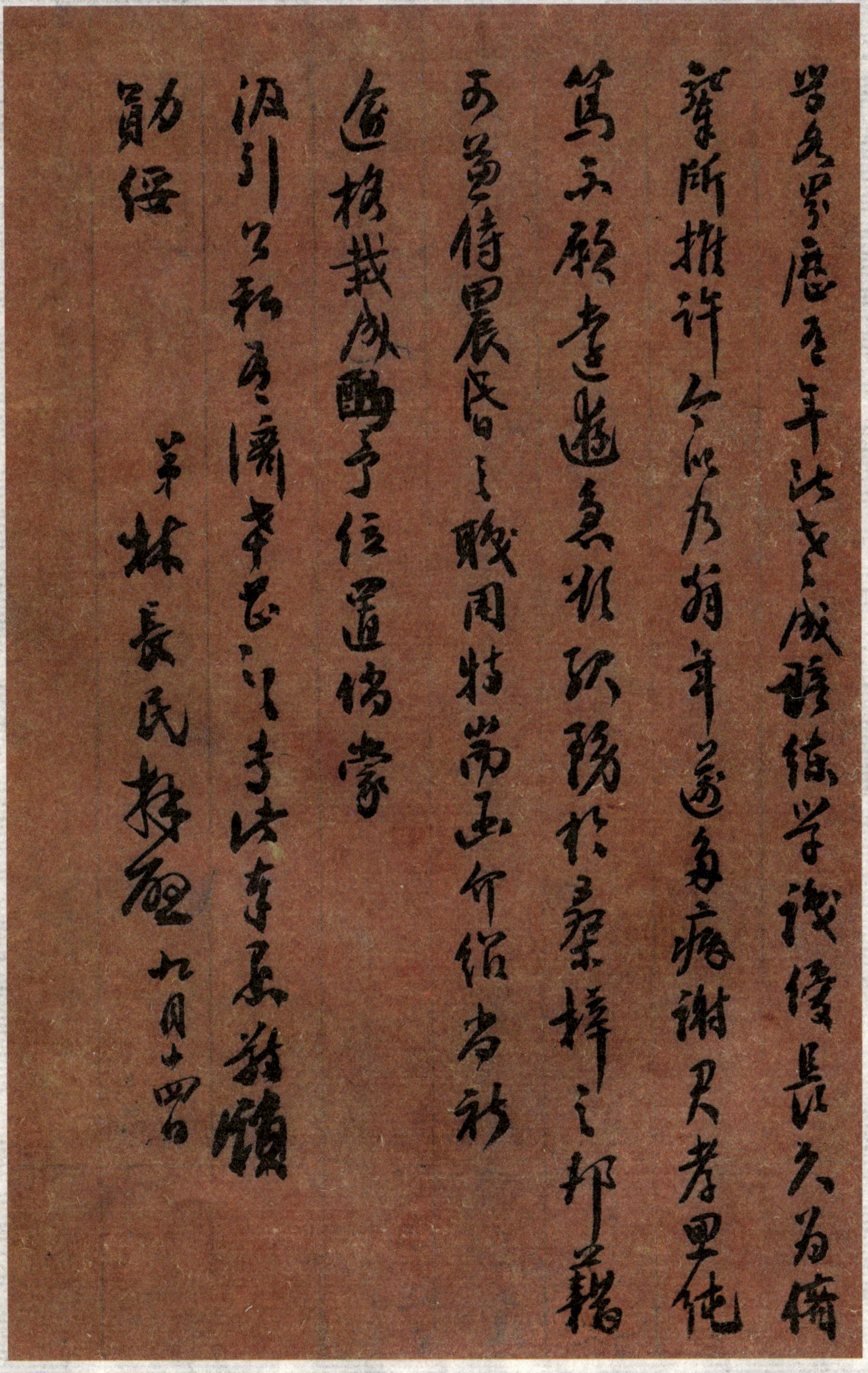

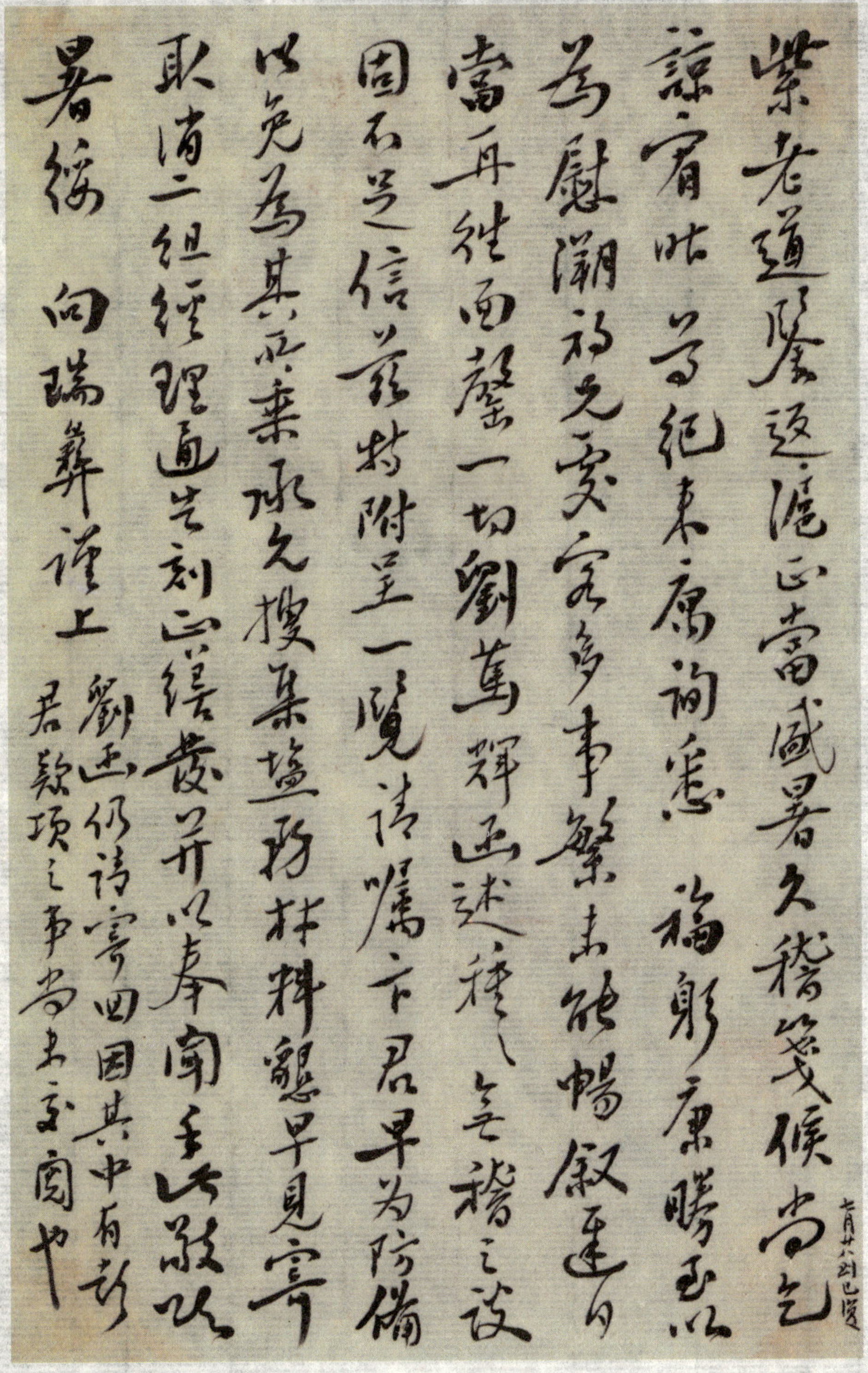

向瑞彝（一八七八—一九七〇）湖南寧鄉人，曾在上海、北京創辦《東方日報》、《上海民報》、《北京時報》，在湖南從事實業建設。

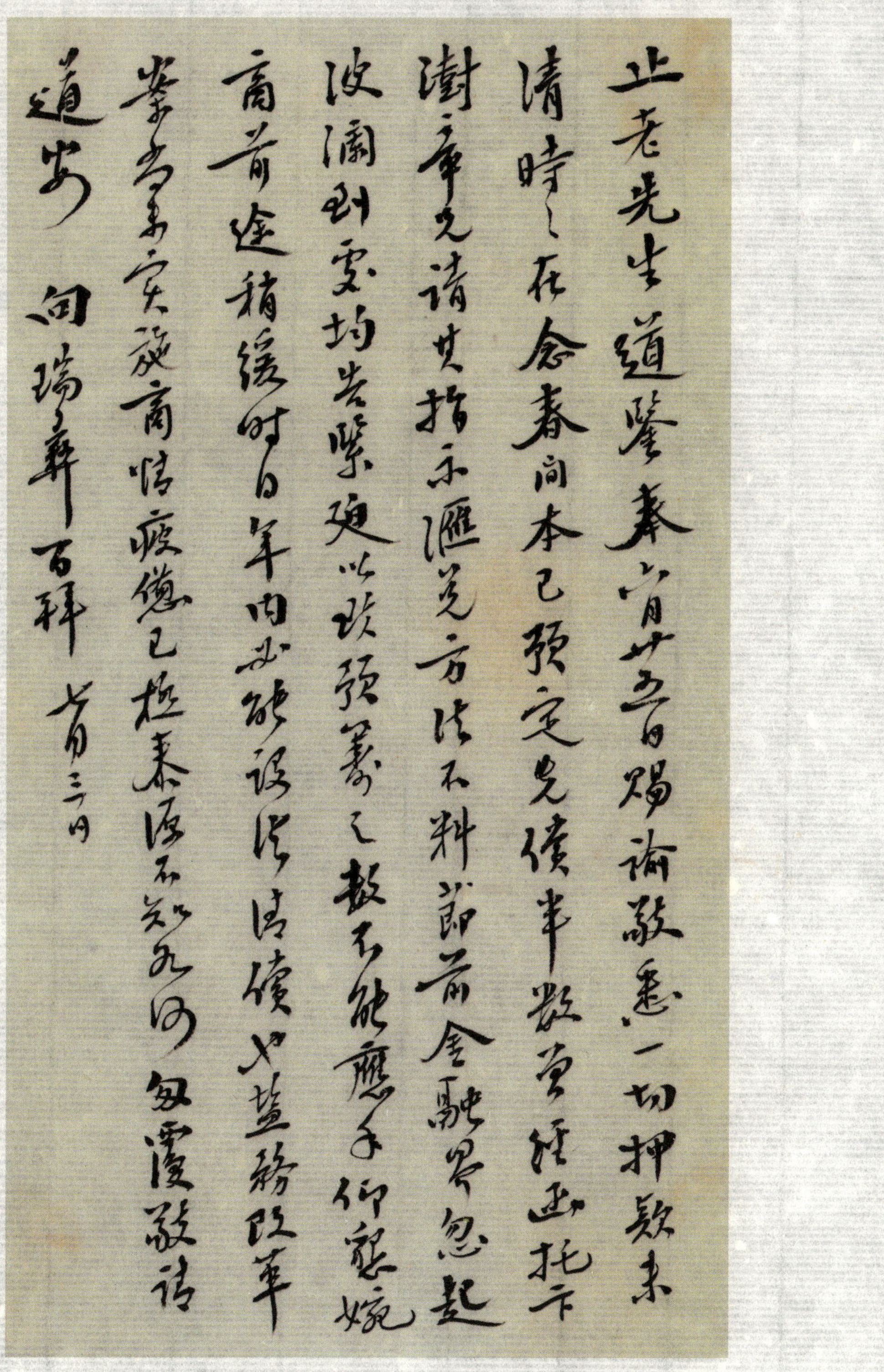

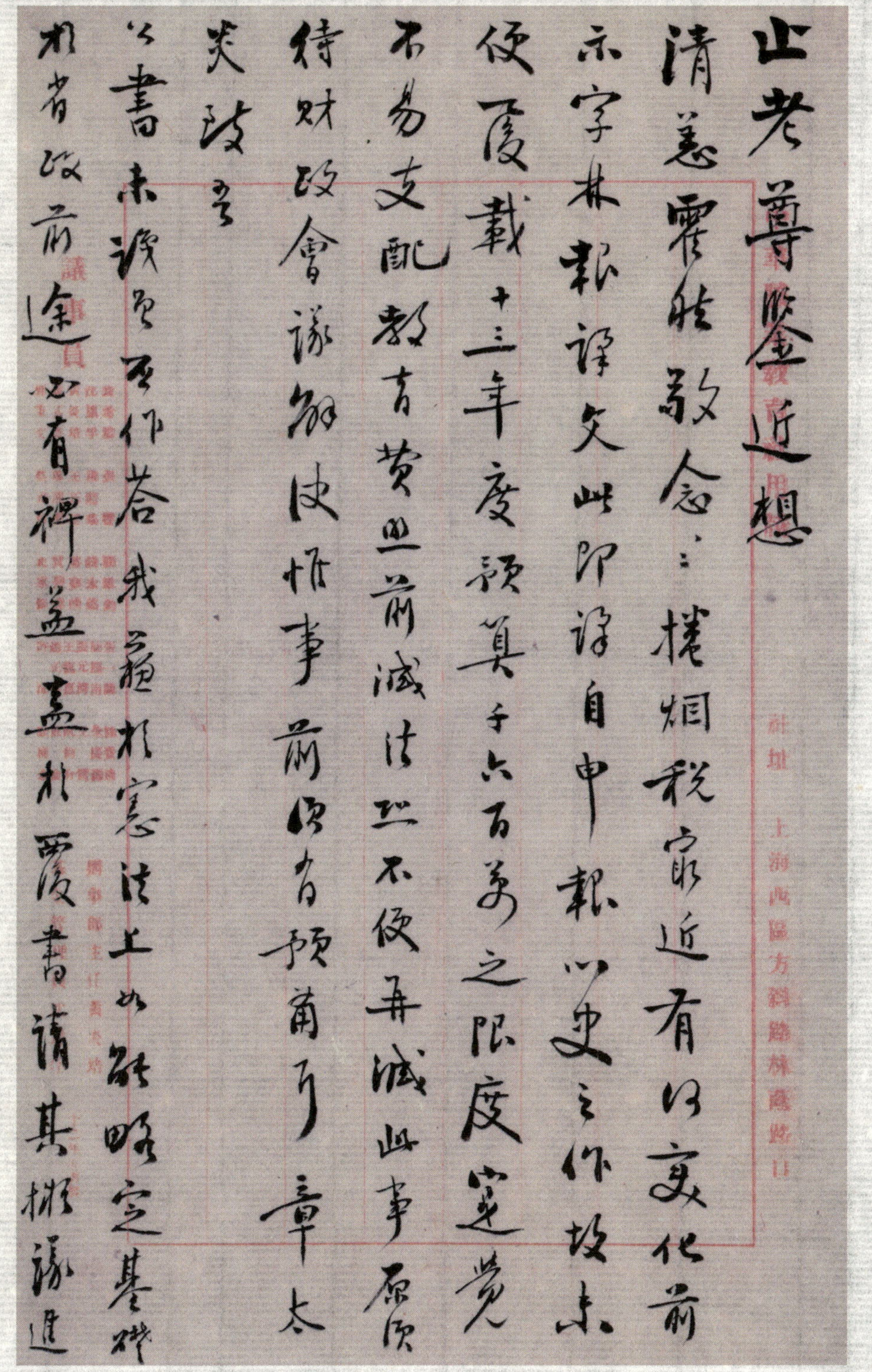

止老先生道鑒 奉六月廿二日賜諭敬悉一切押款未

清時已在念 春間本已預定先償半數 奈經亜托下

謝庵兄請其指示匯兑方法不料節前金融驟急起

波瀾到處均岌岌 遂以成預籌之数不能應手仰懇

商首途稽緩时日年内此款設法償 以盤務改革

鑒為是實 盈商情暖覺已極 恭候 不知所以 敬覆

道安 並叩瑞蕪 百祥 首三廿四

止老尊鑒 近想

清慈霽聀敬念： 楷烟税宗近有以實化前

示字林報译矢此即译自申報以迻主作坟未

便覆載 十三年度預算未六百萬之限度定覺

不易支配 教育费四前减此不便再减此事原

待财政會諏細皮恺事前所可預商者 章太

炎政言

书未復 每可作若我顧报寒注上以緒略定基礎

相者 致前途必有裨 益 盡此覆 書请其排瑞進

黄炎培（一八七八—一九六五）上海浦東人。著名教育家、政治家，曾加入中國同盟會。民國初，任江蘇省教育司司長，籌辦東南、暨南、同濟等大學，支持五四運動，抗戰時期，積極推動抗日救國。後成爲中國民主同盟主要發起人之一。

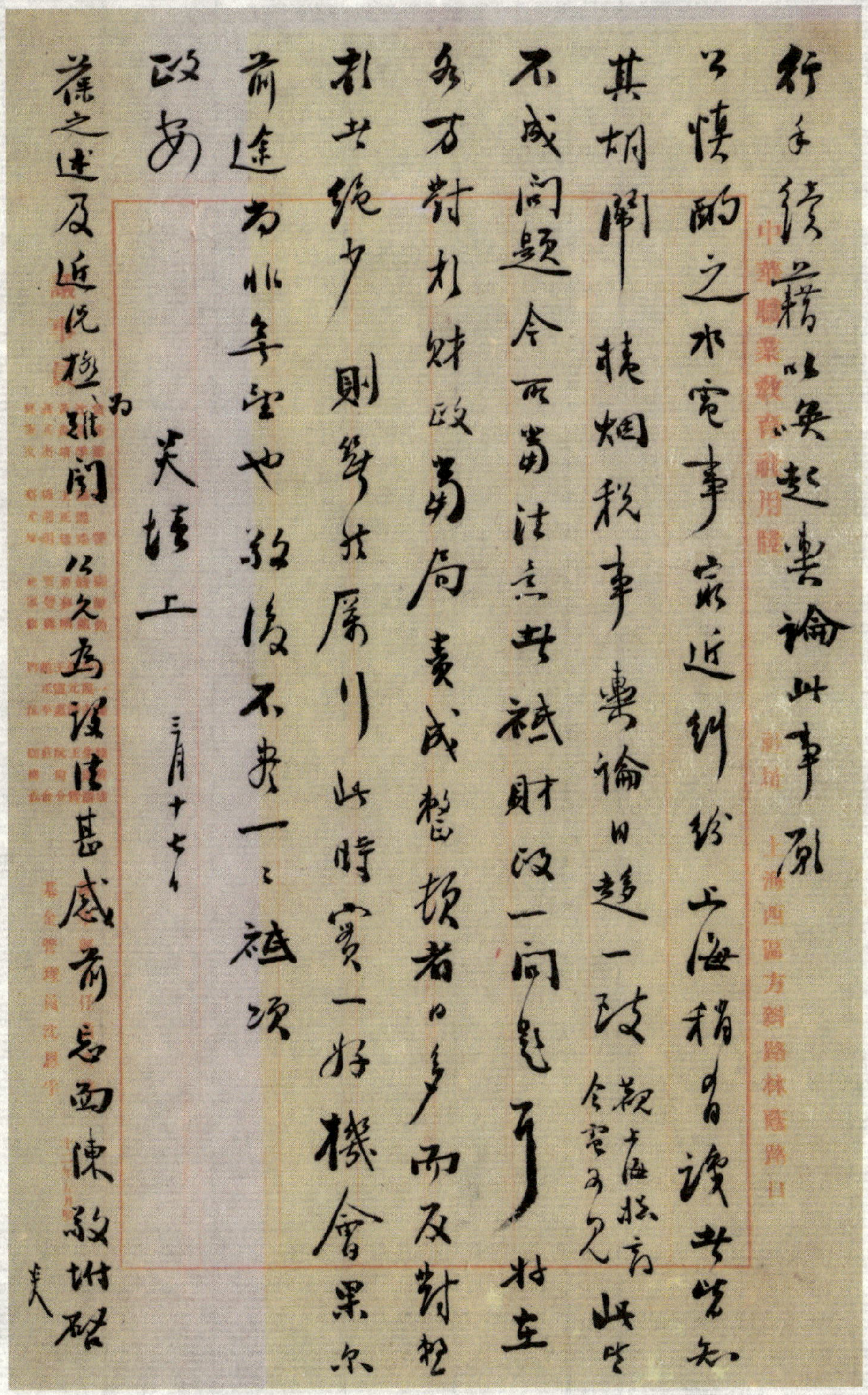

行手續，藉以喚起輿論，此事似
以慎酌之。水電事最近糾紛，上海稍有識者皆知
其胡鬧；捲烟稅事輿論日趨一致（觀上海報紙言論可見），此皆
不成問題。今所當注意者，祗財政一問題耳。蘇省
多方對於財政局責成整頓者日多，而反對整
理者絕少，則著手宜此時，實一好機會，果爾
前途尚非無望也。敬陳不盡一一，祗頌
政安
炎培上 三月十七

蔭之述及近況極詳，為閱以久為滬慮，甚感，前忘面陳，敬此附啓 炎

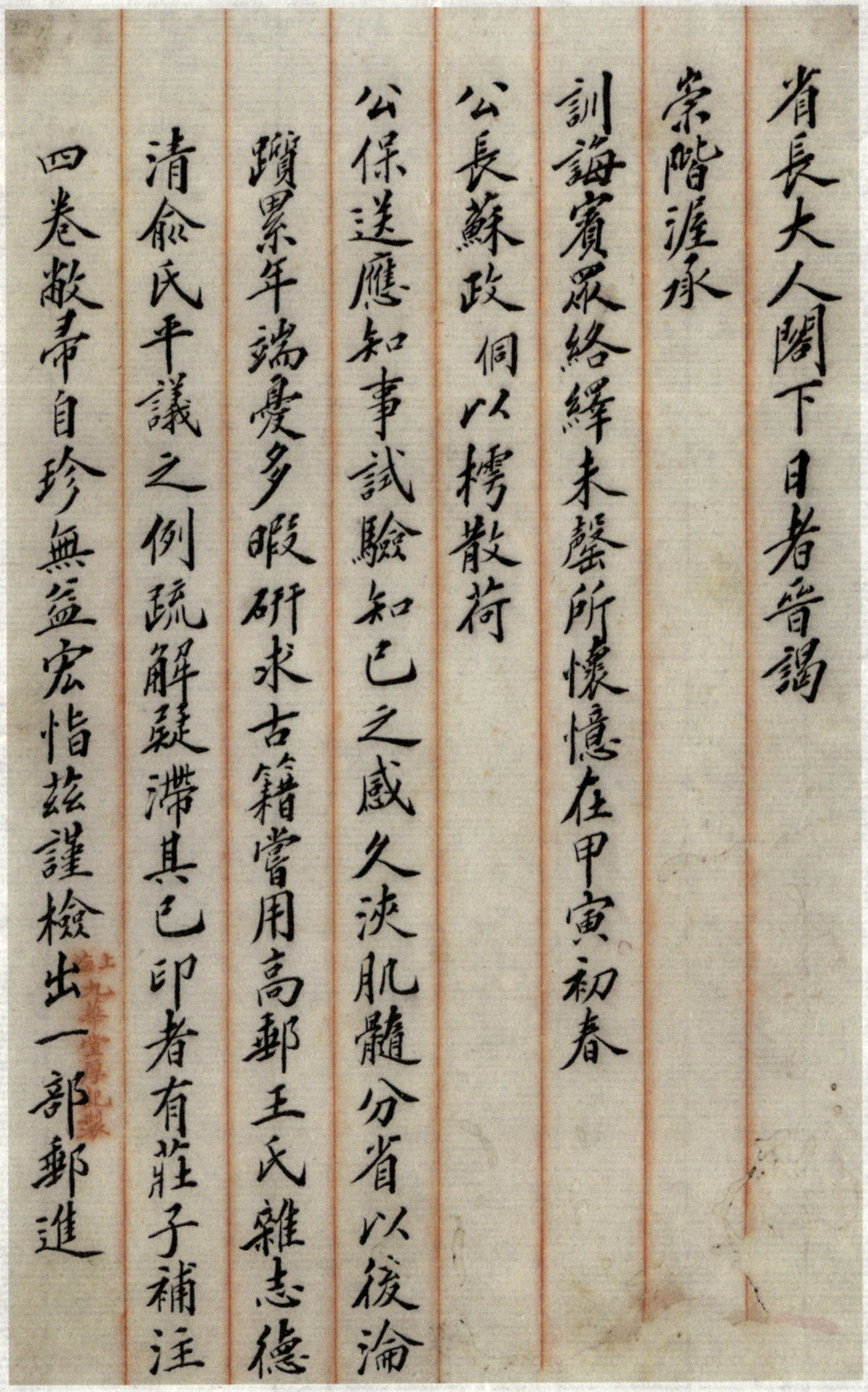

省長大人閣下：日者晉謁
崇階，渥承
訓誨，賓衆絡繹，未罄所懷。憶在甲寅初春，
公長蘇政，侗以樗散荷
公保送，應知事試驗，知己之感，久浹肌髓。分省以後，淪
躓累年，端憂多暇，研求古籍，嘗用高郵王氏《雜志》、德
清俞氏《平議》之例，疏解疑滯，其已印者有《莊子補注》
四卷，敝帚自珍，無益宏指，茲謹檢出一部郵進

奚侗（一八七八—一九三九），安徽馬鞍山人，歷任海門縣、江浦縣、崇明縣知縣。辛亥革命時加入南社，後參與編纂《當塗縣志》，精研中國古典哲學、文學，著有《莊子補注》四卷。

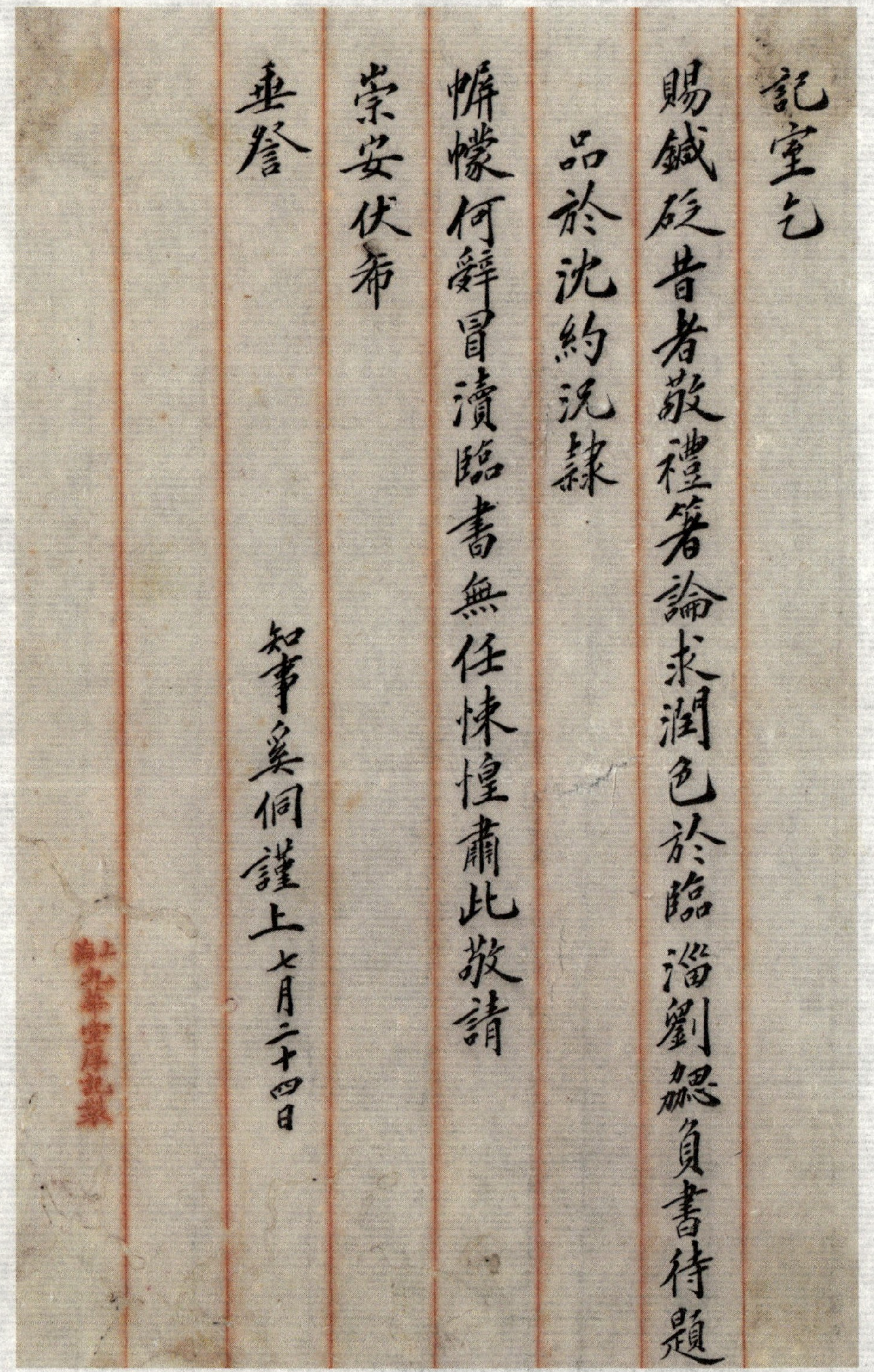
記室乞
賜鍼砭昔者敬禮箸論求潤色於臨淄劉勰負書待題
品於沈約況隸
幃幪何辭冒瀆臨書無任悚惶肅此敬請
崇安伏希
垂詧
知事奚侗謹上 七月二十四日

名人手札

韓國鈞朋僚墨迹

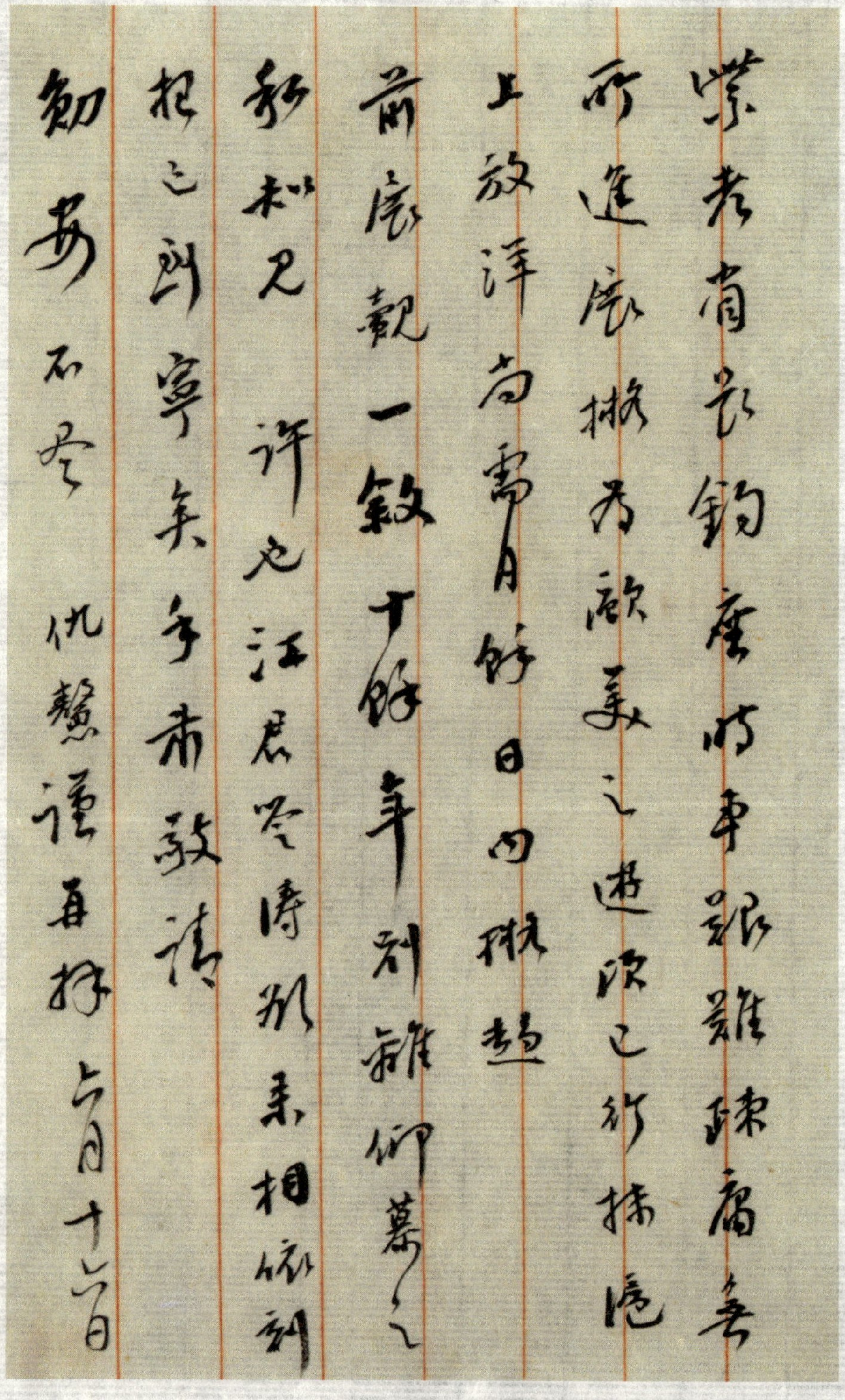
紫老省長鈞座昨奉瑤緘辱承垂
所述展擬為欽羨之邊陲已行撫恤
上放洋尚需月餘日內擬趨
前展觀一敘十餘年别離仰慕之
私粗兄許也汪君叔濤兄來相依刻
想之刻寧矣手肅敬請
勛安不盡 仇鼇謹再拜 六月十六日

仇鼇（一八七九－一九七〇）湖南汨羅市人，曾參加北伐，後任國民政府考試院銓敘部副部長，抗戰時期從事難民救濟工作，解放後任全國政協委員。

韓國鈞朋僚墨迹

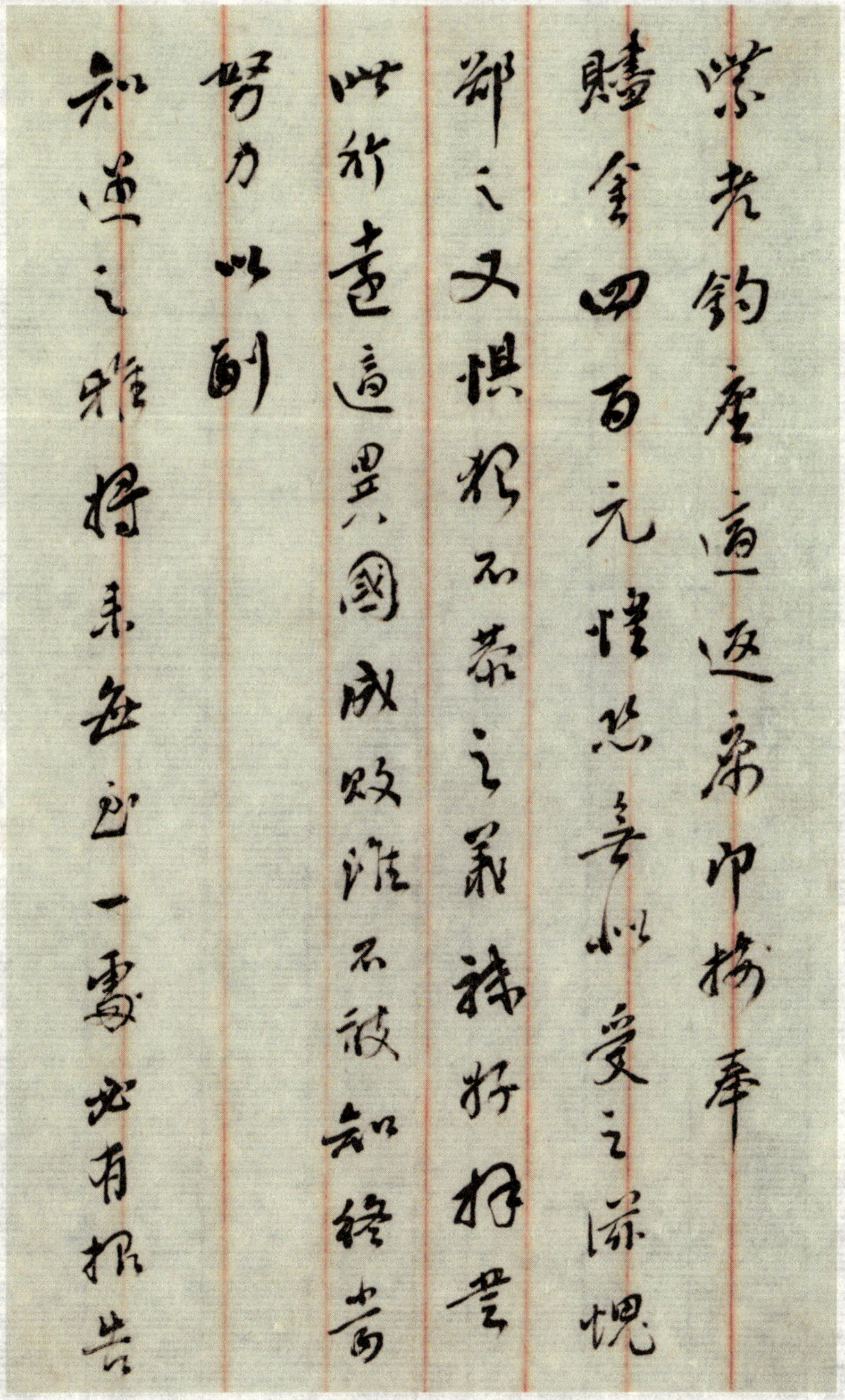

榮老鈞座：頃返京邸，接奉
賜金四百元，惶悚無似。愛之深愧
鄙之文，惧將不恭之義，辭將拜登。
此行遠適異國，成敗誰不敢知，終當
努力以副
知遇之雅。將來無也一一當必有報告

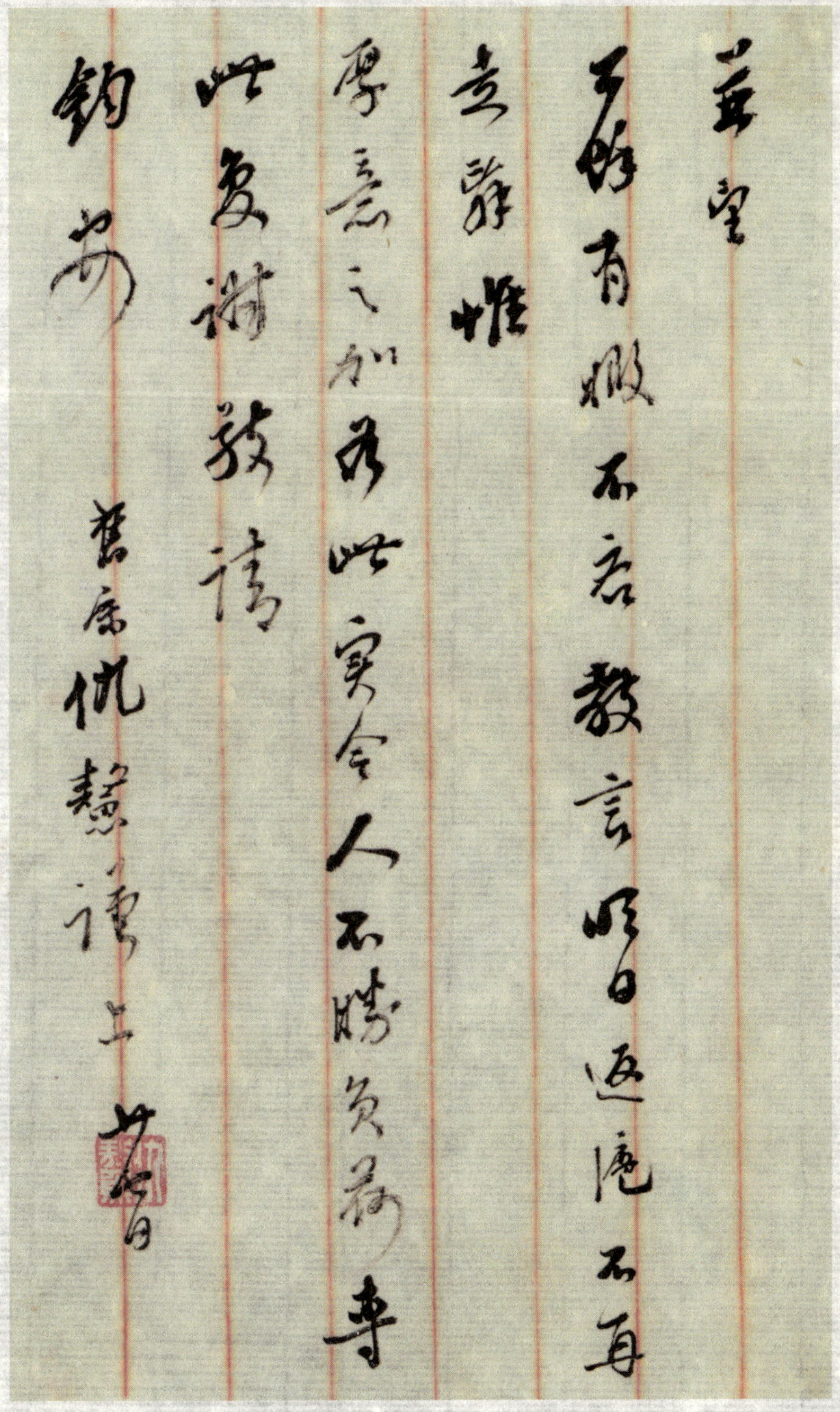

華翁
蘇有暇不吝數言賜返遠庶不每
立辭惟
厚意之加，於此實令人不勝負荷。專
此復謝，敬請
鈞安
舊屬 佩鞠謹上 廿三日

名人手札

史量才（一八七九—一九三四）上海人，曾參與發起組織江蘇學務總會，參加收回路權運動、江蘇獨立運動，響應辛亥革命。民國時接辦《申報》、《時事新報》、《新聞報》等，成爲中國最大的報界企業家。積極支援淞滬抗戰，參與組織民權保障同盟，勇于抨擊時政，後被特務暗殺。

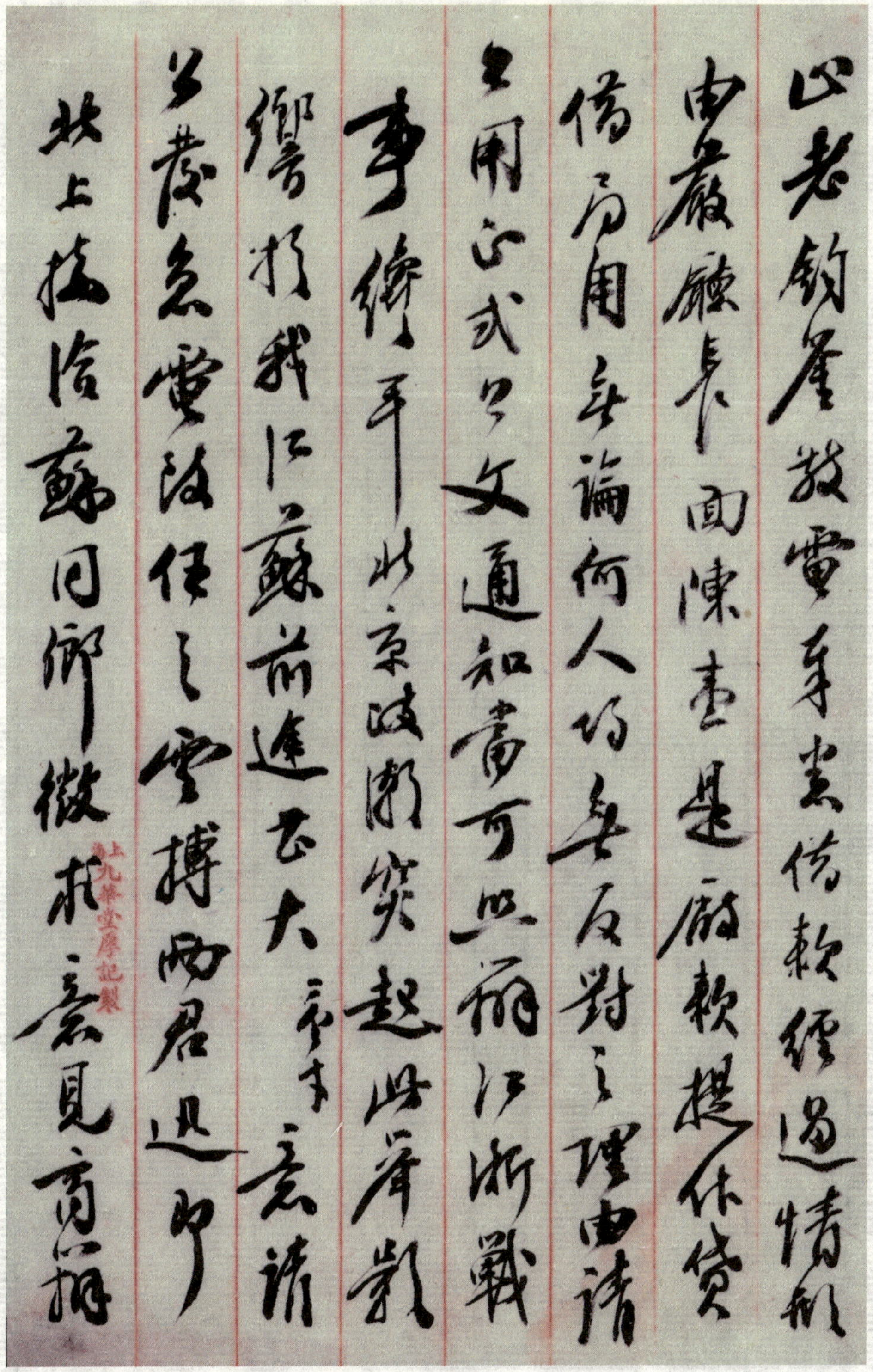

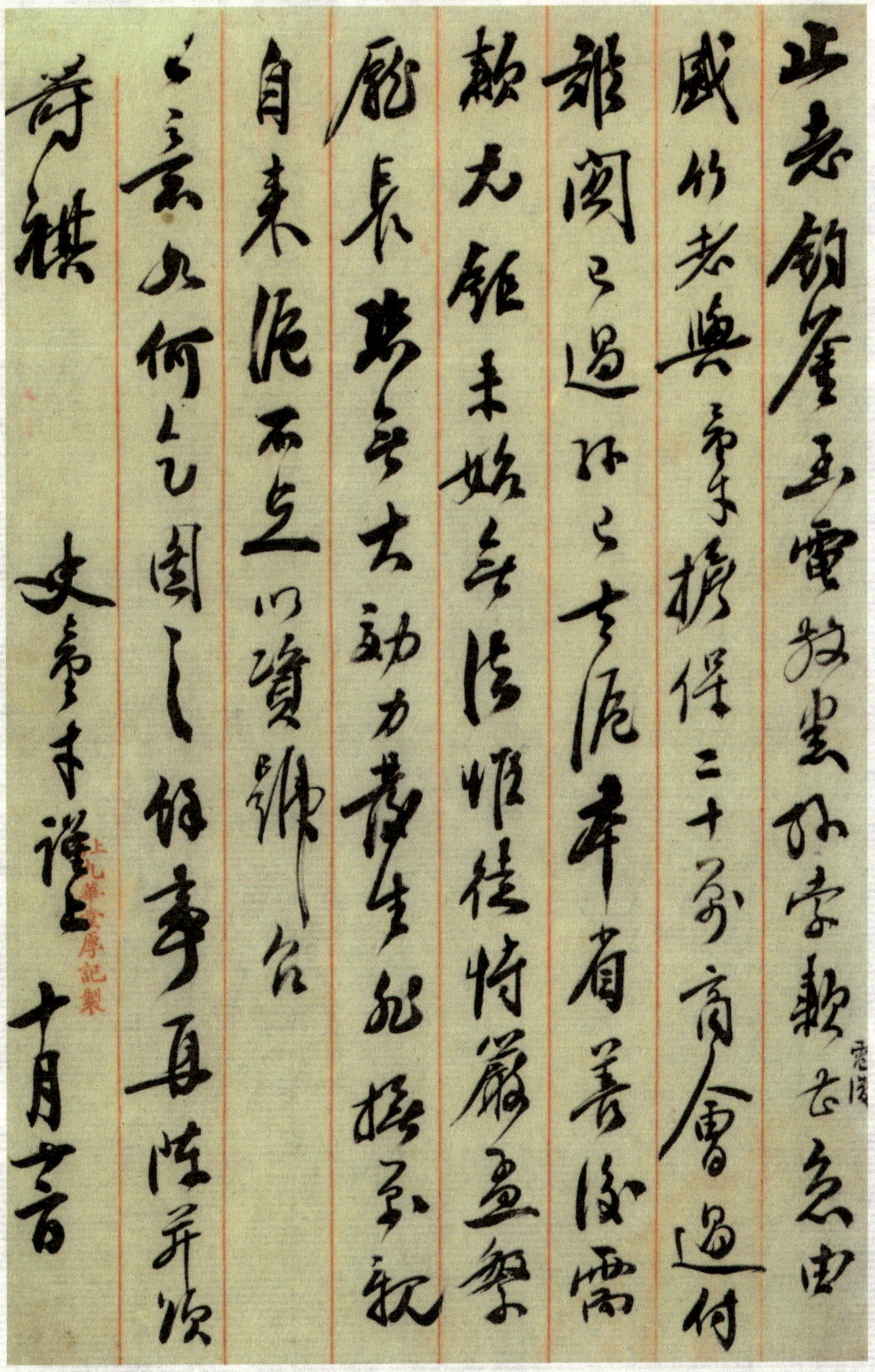

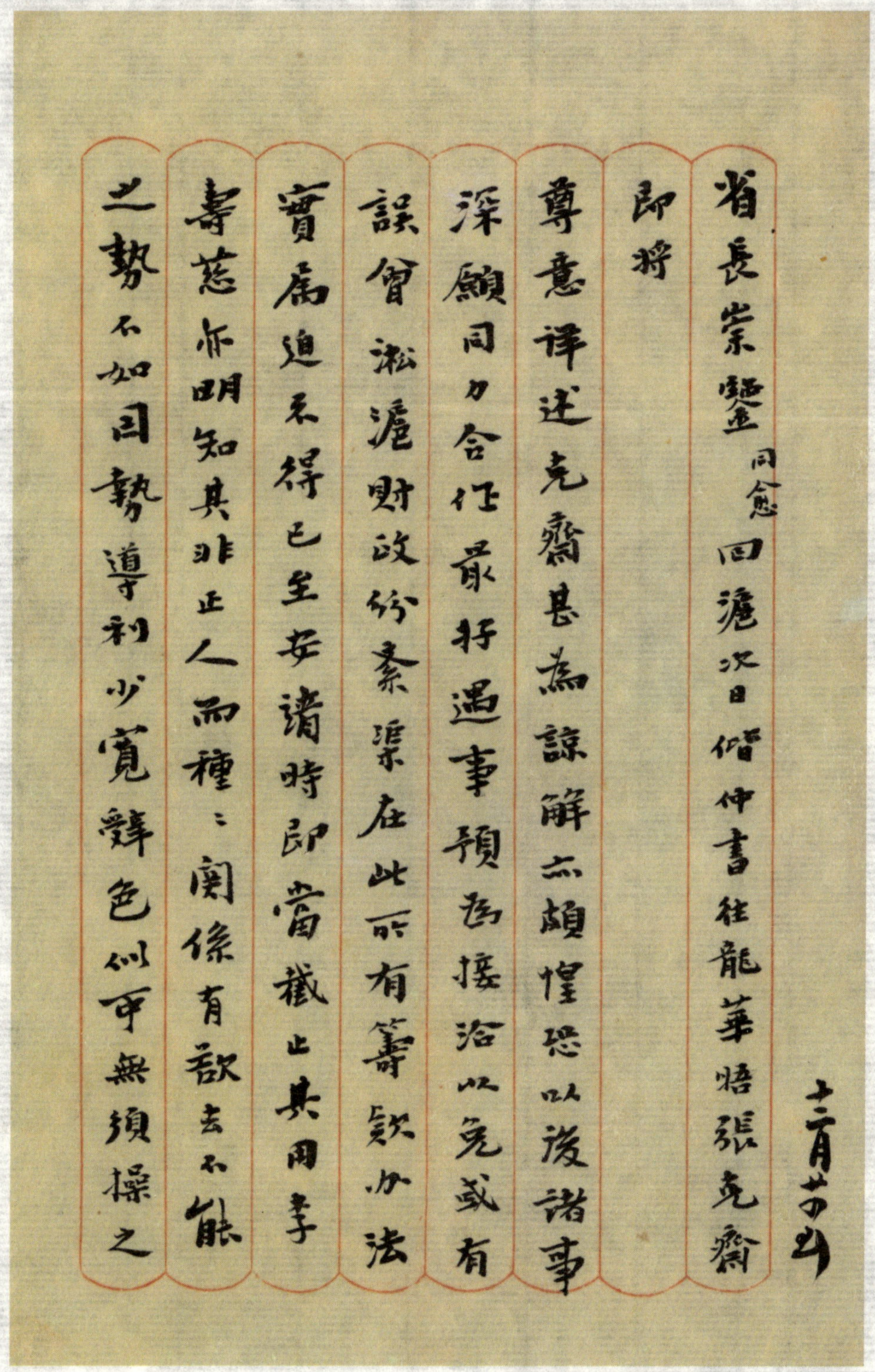
省長崇鑒：同愈回滬次日偕仲書往龍華晤張克齋
師將
尊意詳述，克齋甚為諒解，亦頗惶恐，以後諸事
深願同力合作，最好遇事預為接洽，以免或有
誤會。淞滬財政紛紊，渠在此所有籌款辦法
實為迫不得已，至安諸時即當截止。其用李
壽蓀亦明知其非正人，而種種關係有欲去不能
之勢，不如因勢導利，少寬聲色，似可無須操之
十一月廿四

尹同愈（一八七九—？）江蘇無錫人，書畫家。曾任湖北警備司令、北京政府潘復內閣陸軍部參事。

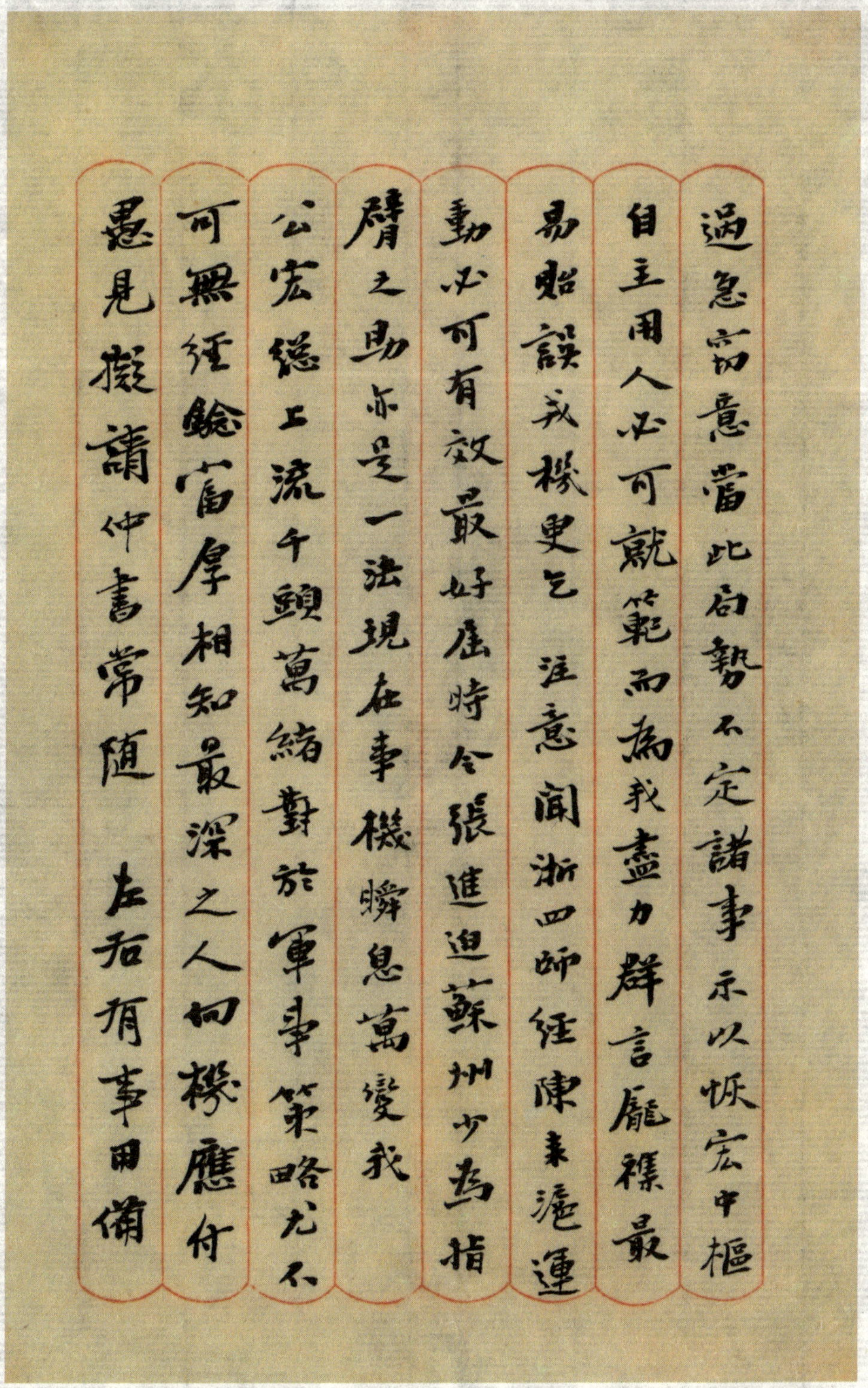
過急。窃意當此局勢不定，諸事亦以恢宏中樞
自主，用人必可就範而為我盡力。群言龐雜，最
易貽誤戎機，更乞 注意。聞浙四師經陳來滬運
動，必可有效，最好應時令張進迫蘇州，少為指
臂之助，亦是一法。現在事機瞬息萬變，我
公宏總上流，千頭萬緒，對於軍事策略，尤不
可無經驗富厚相知最深之人切機應付。
愚見擬請仲書常隨 左右，有事用備

韓國鈞朋僚墨迹

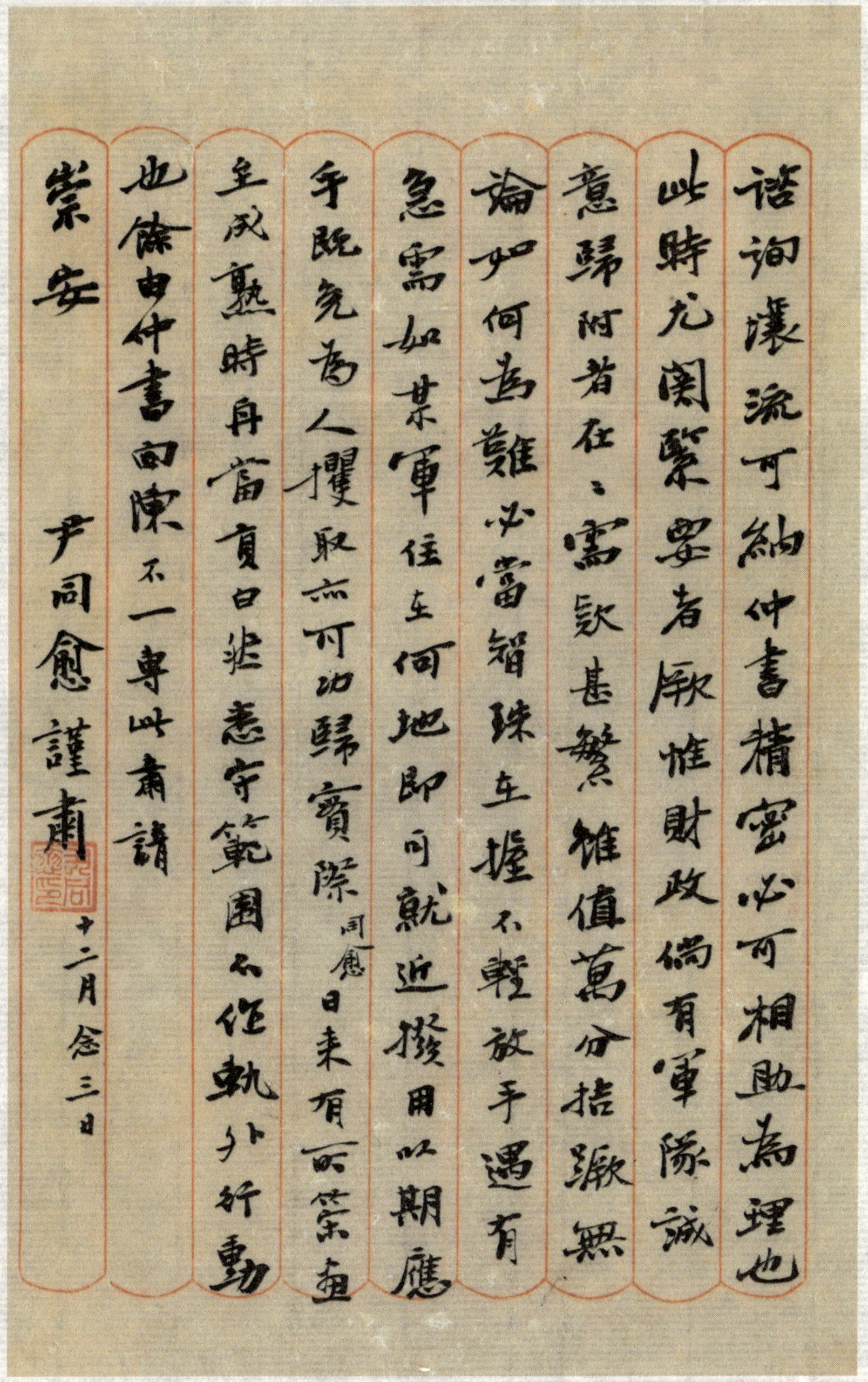
諮詢濠流，可納仲書精密，必可相助為理也。此時尤關緊要者，厥惟財政，倘有軍隊誠意歸附，前往需款甚繁，雖值萬分拮据，無論如何為難，必當智珠在握，不輕放手。遇有急需，如某軍任在何地，即可就近撥用，以期應手。既免為人攫取，而可收歸實際。同愈日來有所策畫，至成熟時再當負責，自述愚守範圍，不作軌外行動也。餘由仲書面陳，不一。專此肅請

崇安

尹同愈謹肅 十二月念三日

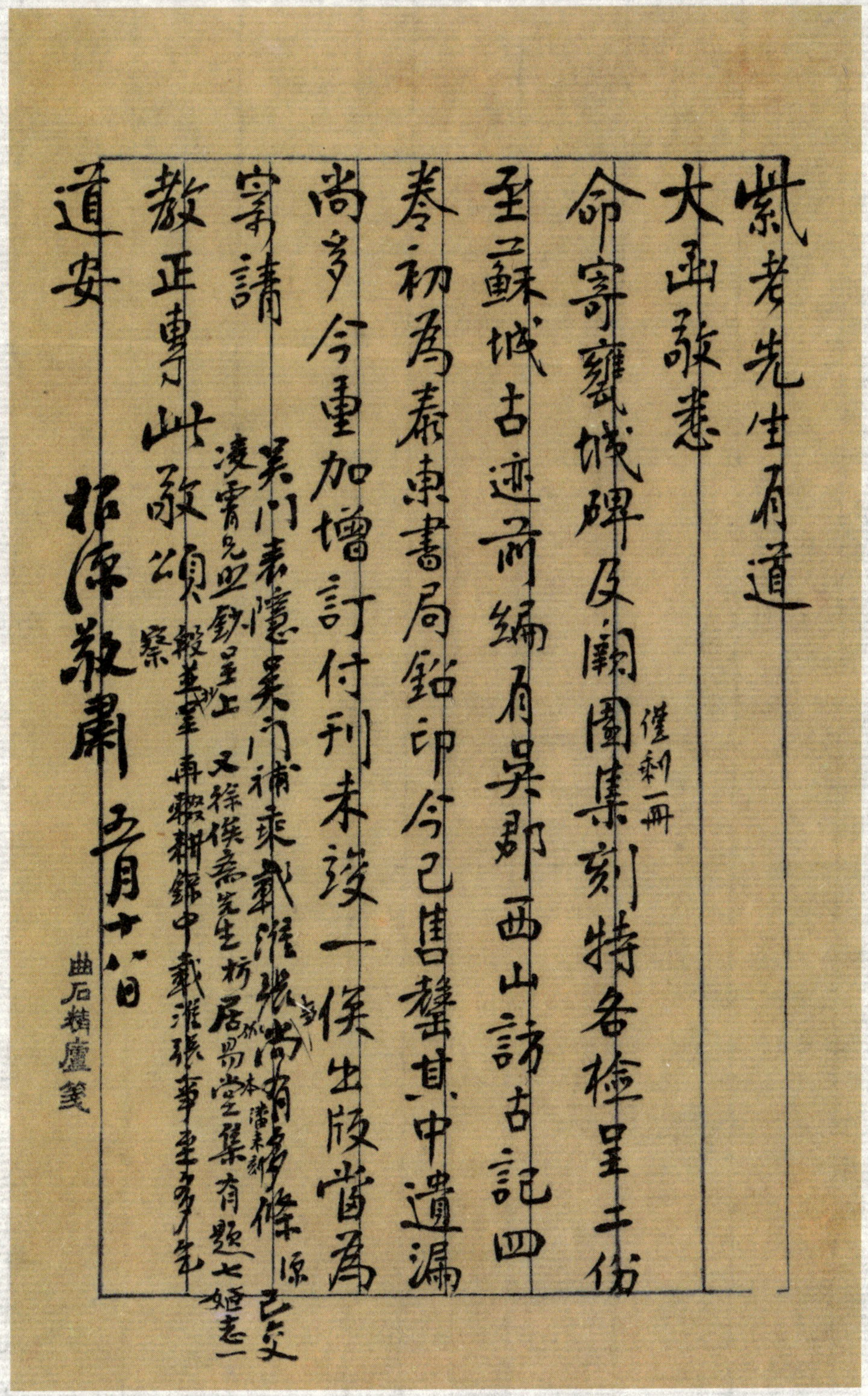
紫老先生有道：

大函敬悉。命寄甕城碑及蘭園集刻，特各檢呈壹份（僅剩一冊）。至蘇城古迹，前編有吳郡西山訪古記四卷，初為泰東書局鉛印，今已售罄，其中遺漏尚多，今重加增訂，付刊未竣，一俟出版，當為寄請

教正。專此敬頌

道安

根源敬肅 五月十六日

吳門表隱、吳門補乘載淮張事尚有多條，源已交凌霄先生鈔呈。又徐俟齋先生居易堂集有題七姬志一首，亦載淮張事。

曲石精廬箋

李根源（一八七九—一九六五）雲南騰衝人，曾倡導雲南獨立，響應武昌起義，參加二次革命、護法運動，後退出政壇，從事抗日救亡運動，解放後任全國政協委員。

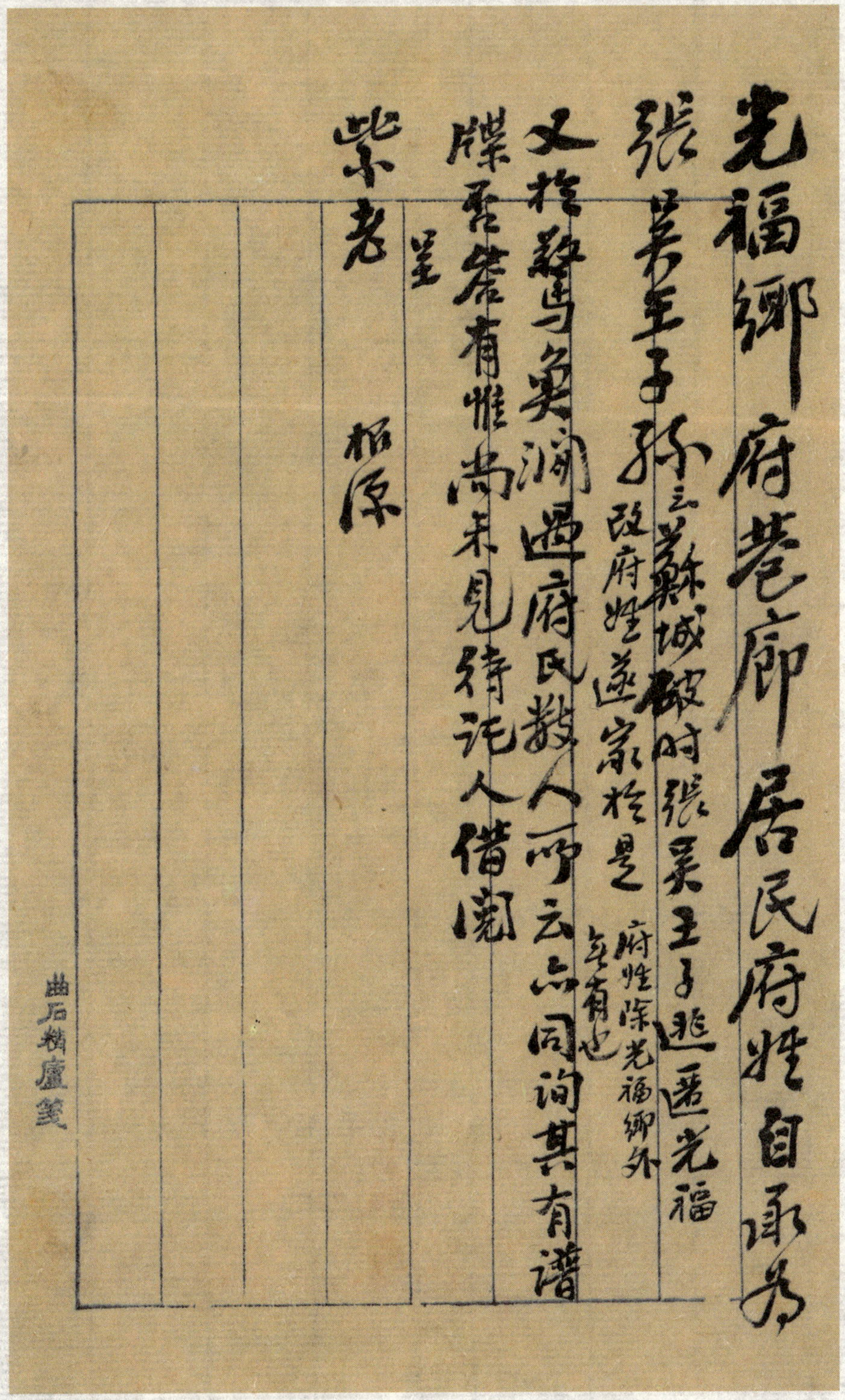
光福鄉府巷廊居民府姓自承為
張吳王子孫云蘇城破時張吳王子匿遁光福
改府姓遂家於是
又於蔡吳澗遇府民數人所云亦同詢其有譜
府姓除光福鄉外無有也
牒否答有惟尚未見待託人借閱
紫老 呈
柏原
曲石精廬箋

名人手札

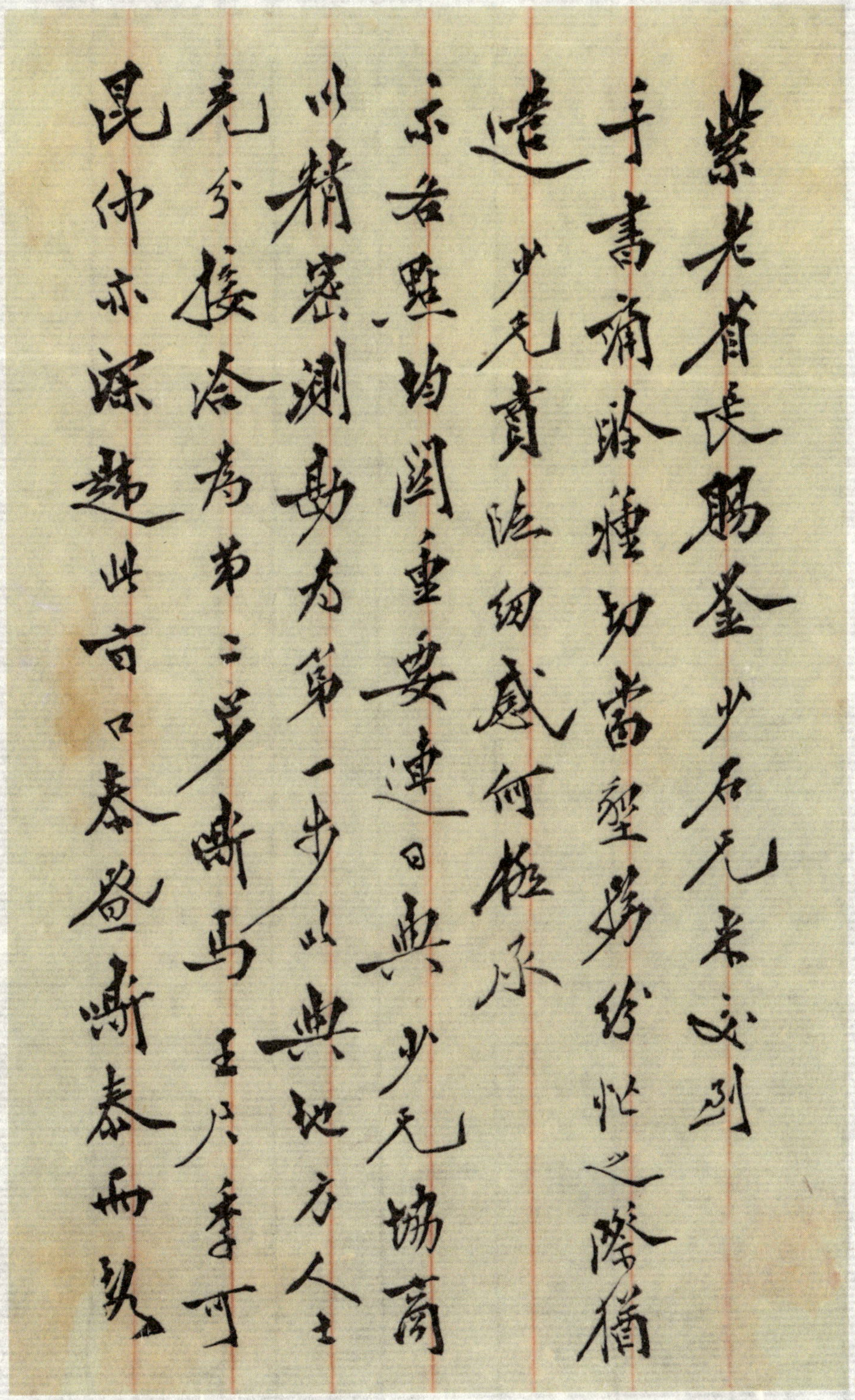
紫老省長賜鑒 少石兄來交到
手書備聆種切當整務紛忙之際猶
遣少兄賁臨細感何極承
示台墅均關重要連日與少兄協商
以精密測勘為第一步以與地方人士
充分接洽為第二步馬王尺季可
昆仲亦深韙此言日來登高泰西款

盧殿虎（一八八〇—一九三六）江蘇寶應人，曾任江蘇省巡按使署教育科科長，發起培植江蘇省教育團公有林，開創大規模植樹造林事業之先河，又曾任甘肅省、安徽省教育廳廳長、鎮揚汽車公司董事長。

名人手札

線測量局均有平剖面圖可供參
考，已向翁君商借，少元先携此圖
沿西路勘閱一週，月底再行覆勘，
其將事切實可做也。勘後結果，如
確認斷泰比口泰為優，中當分頭
接洽，此事亦在布置中，暫時不擬
多看逆象也。擬之改線一節在我

必有充分之理由，在人所藏少反對
之資料，未識
長者以為何如。此次勘閱路線，全由
少元偏勞，下次或將偕往，並邀
前清
示。一切彼時當可與泰城人士精精
周旋也。少元來揚，並未下榻舍間

[illegible]

[illegible]

[illegible]

[illegible]

[illegible]

[illegible]

[illegible]

[illegible]

[illegible]

[illegible]

[illegible]

[illegible]

[illegible]

朱甲昌（一八八〇—一九四二）江蘇泰州人，曾任北京政府總統府秘書、參議，江蘇省省長公署秘書、隴海鐵路開徐稅捐局局長。

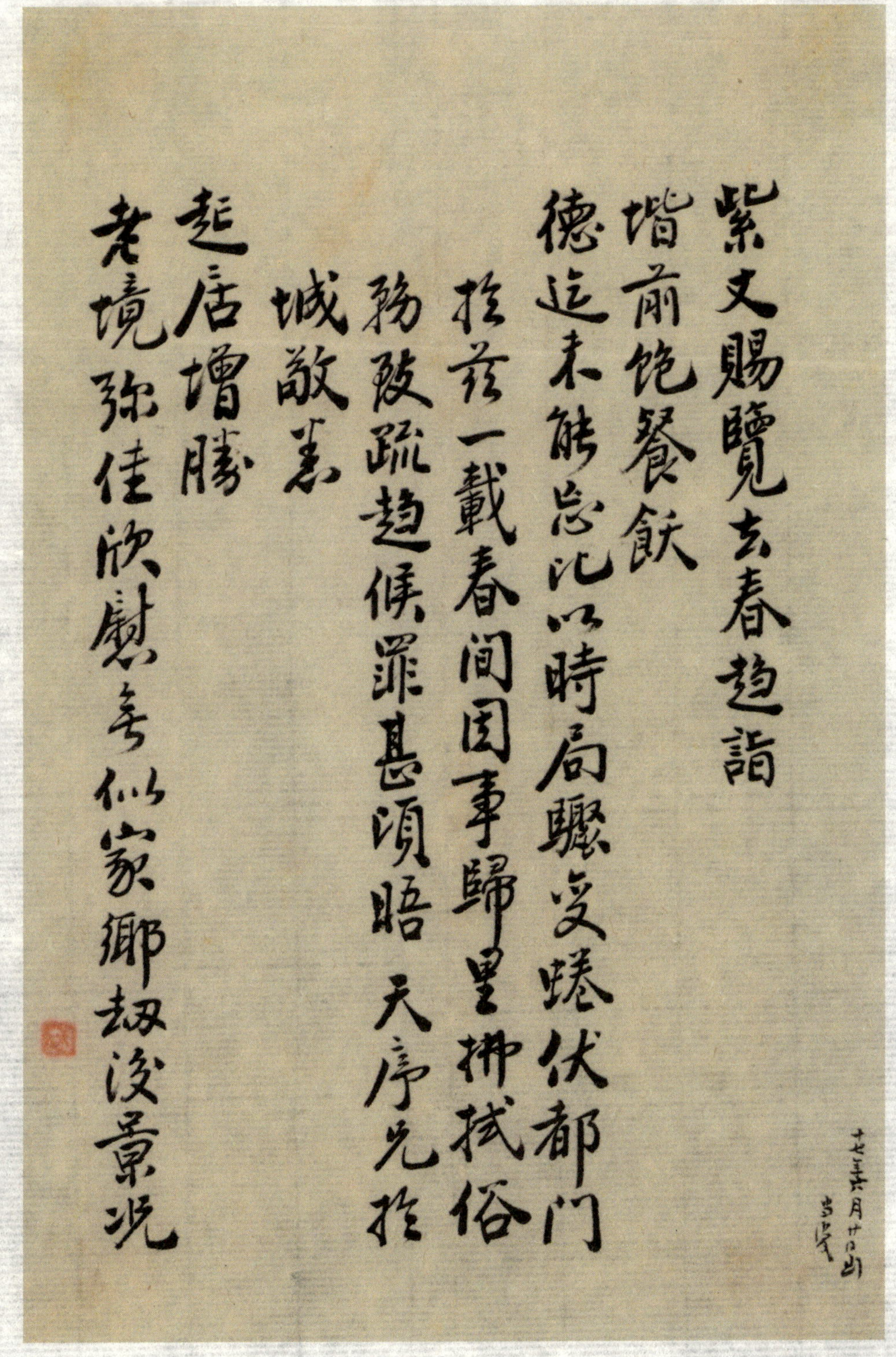

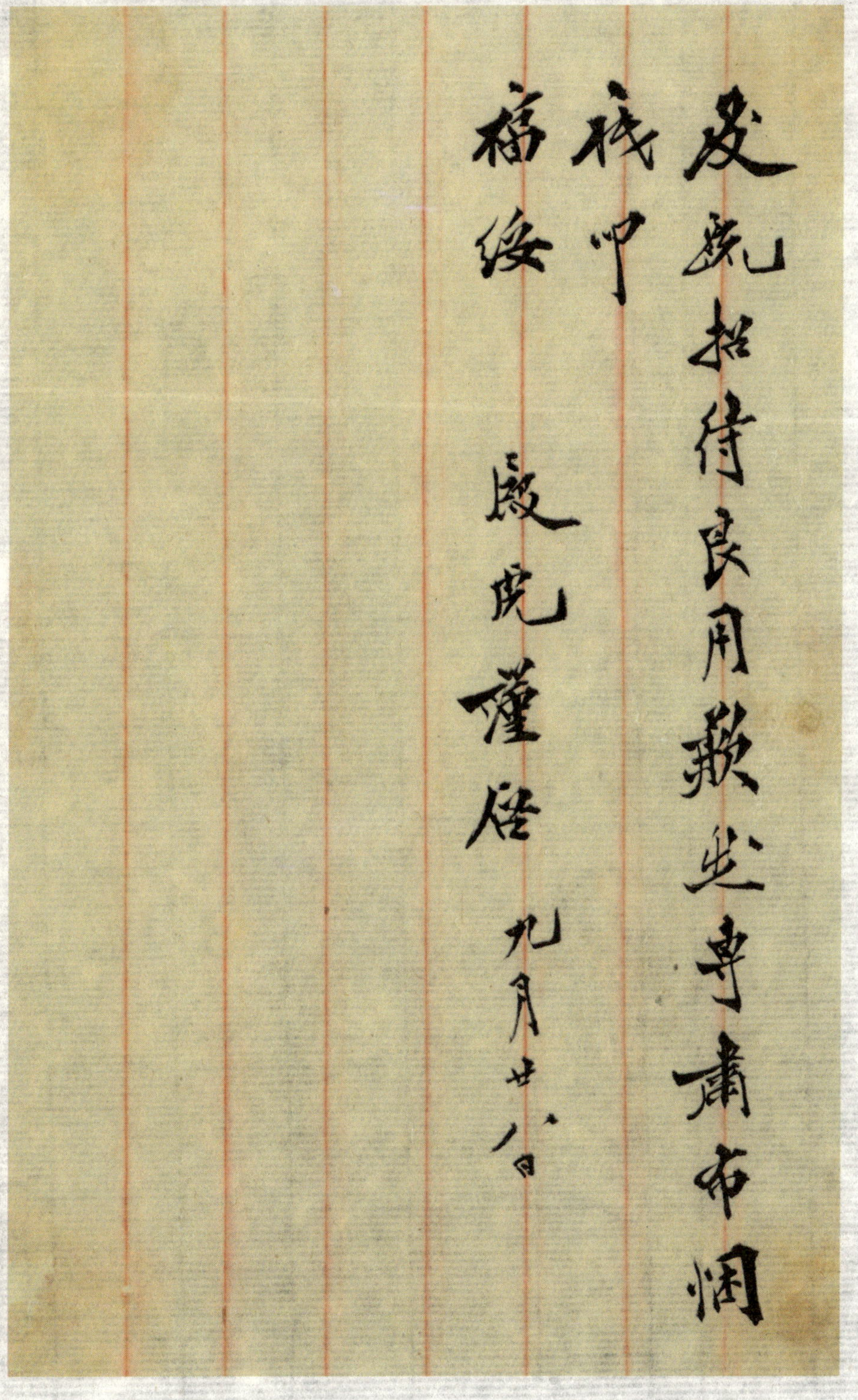

韓國鈞朋僚墨迹

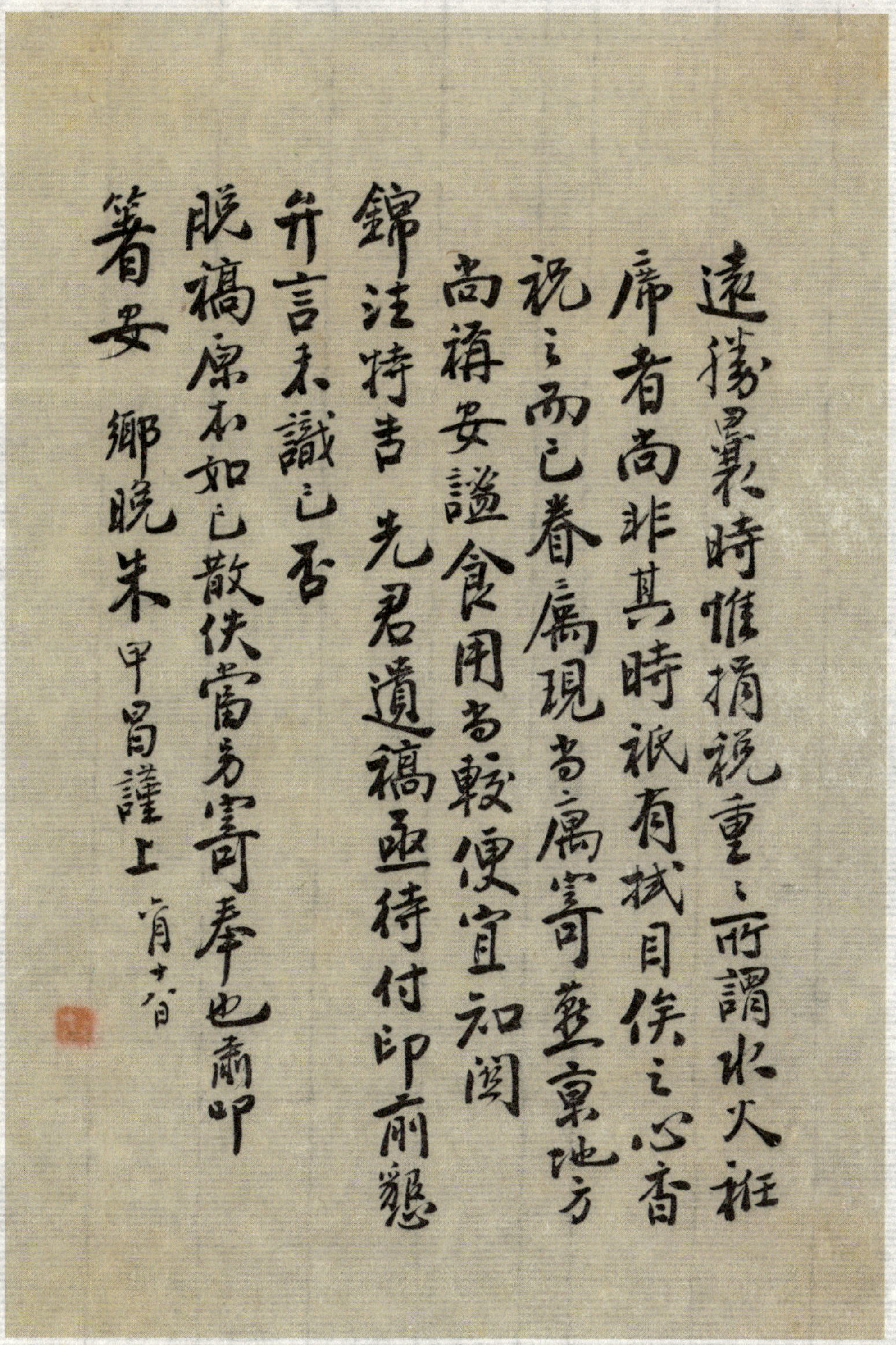

遠勝曩時惟猶視重重所謂水火袵
席者尚非其時祇有拭目俟之心香
祝之而已眷屬現寓屬寄並京地方
尚稱安謐食用尚較便宜知閣
錦注特告　先君遺稿函待付印前懇
弁言未識已否
脫稿原本如已散佚當另寄奉也肅叩
箸安　鄉晚朱甲冒謹上　月十八日

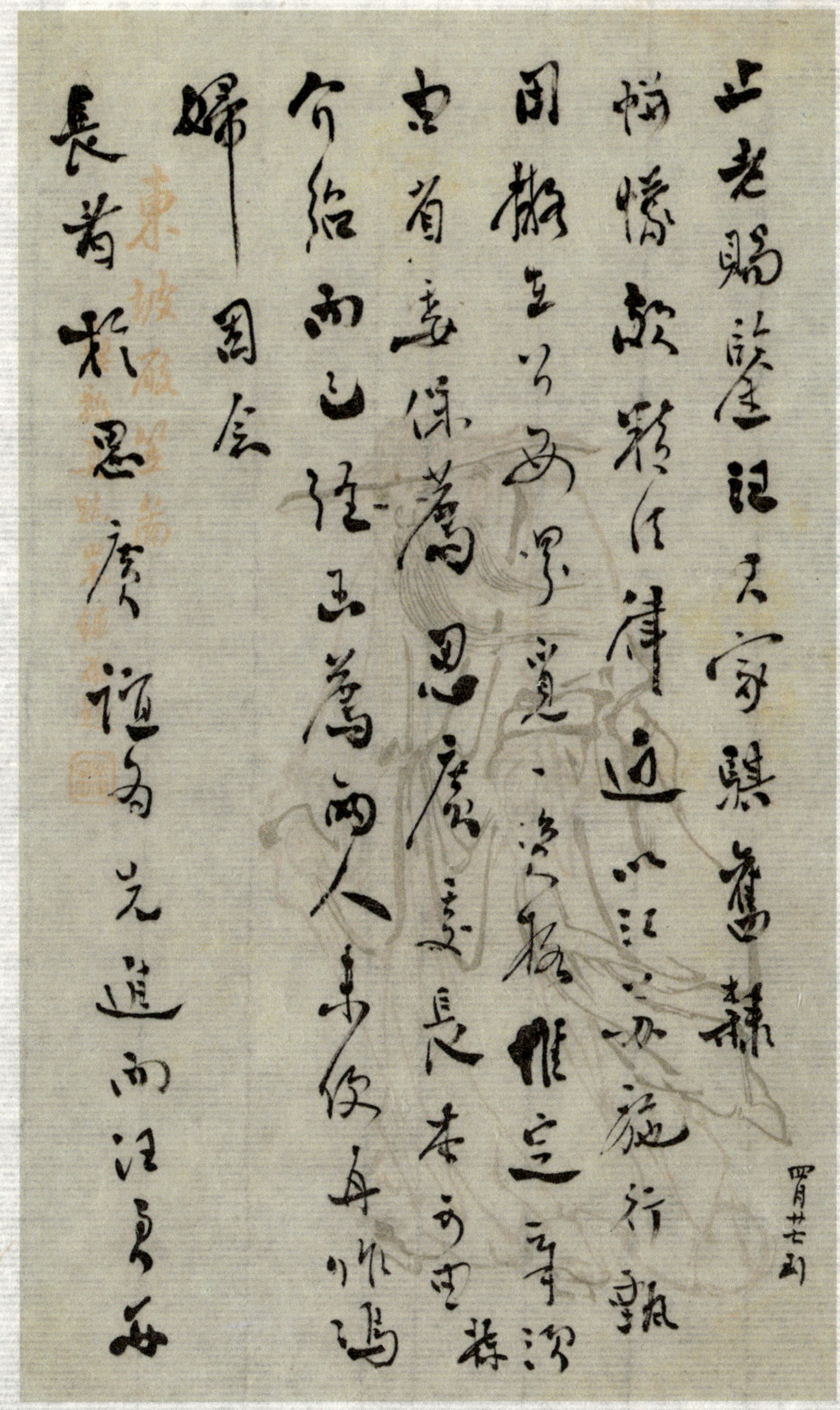

張　棟（一八八〇—？）江蘇吴江人，曾任泰興縣、南通縣縣長、江蘇省警官學校教育長、貴州省政府秘書長。

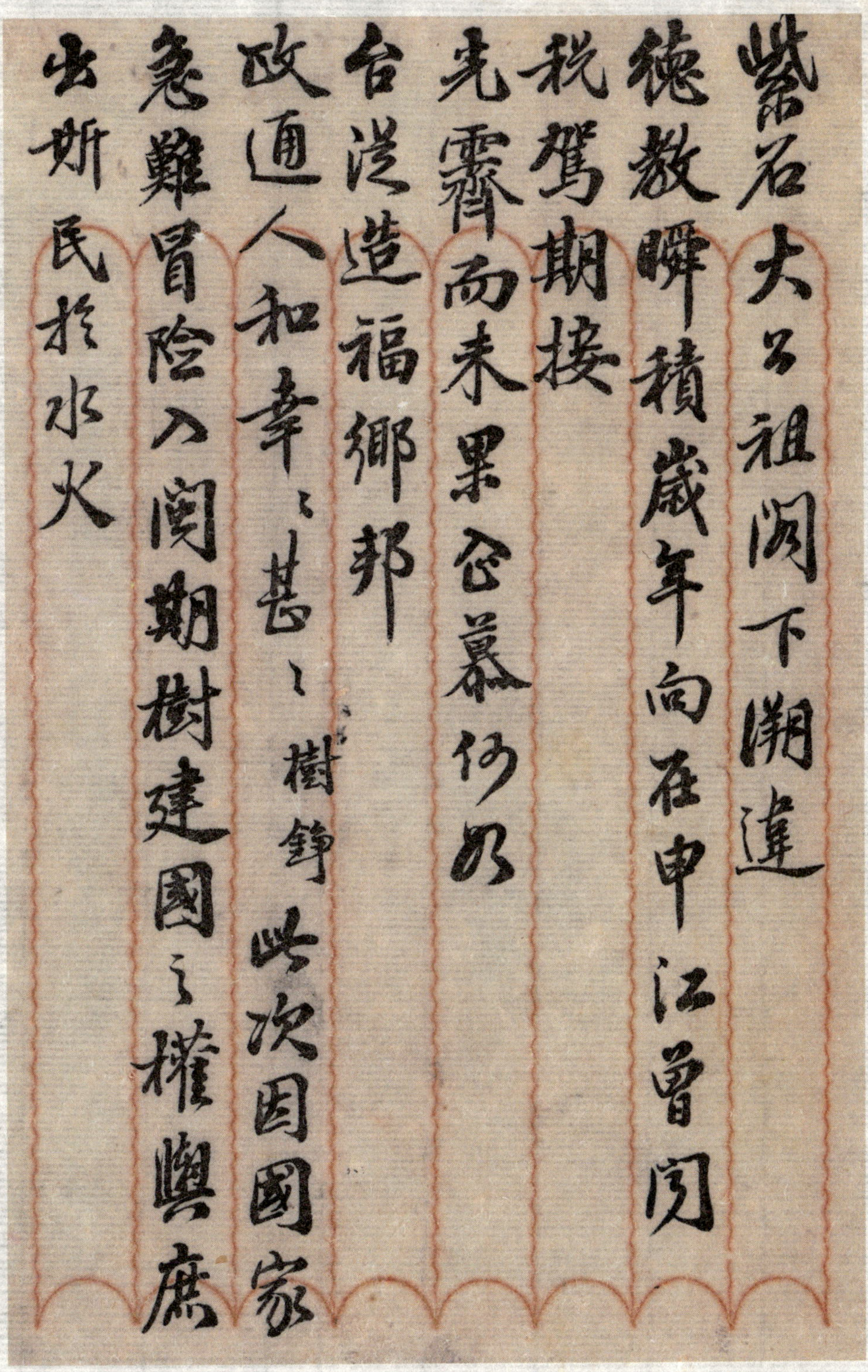
紫石大公祖閣下闊違
德教瞬積歲年向在申江曾圖
税駕期接
光霽而未果企慕何似
台從造福鄉邦
政通人和幸甚幸甚 樹錚 此次因國家
急難冒險入閩期樹建國之權輿庶
出斯民於水火

徐樹錚（一八八〇—一九二五）安徽蕭縣人，曾任北京政府陸軍部次長、西北邊防軍總司令兼任外蒙古善後督辦，在庫倫主持過冊封活佛典禮，曾在福建建立建國軍政制置府，自任總領。

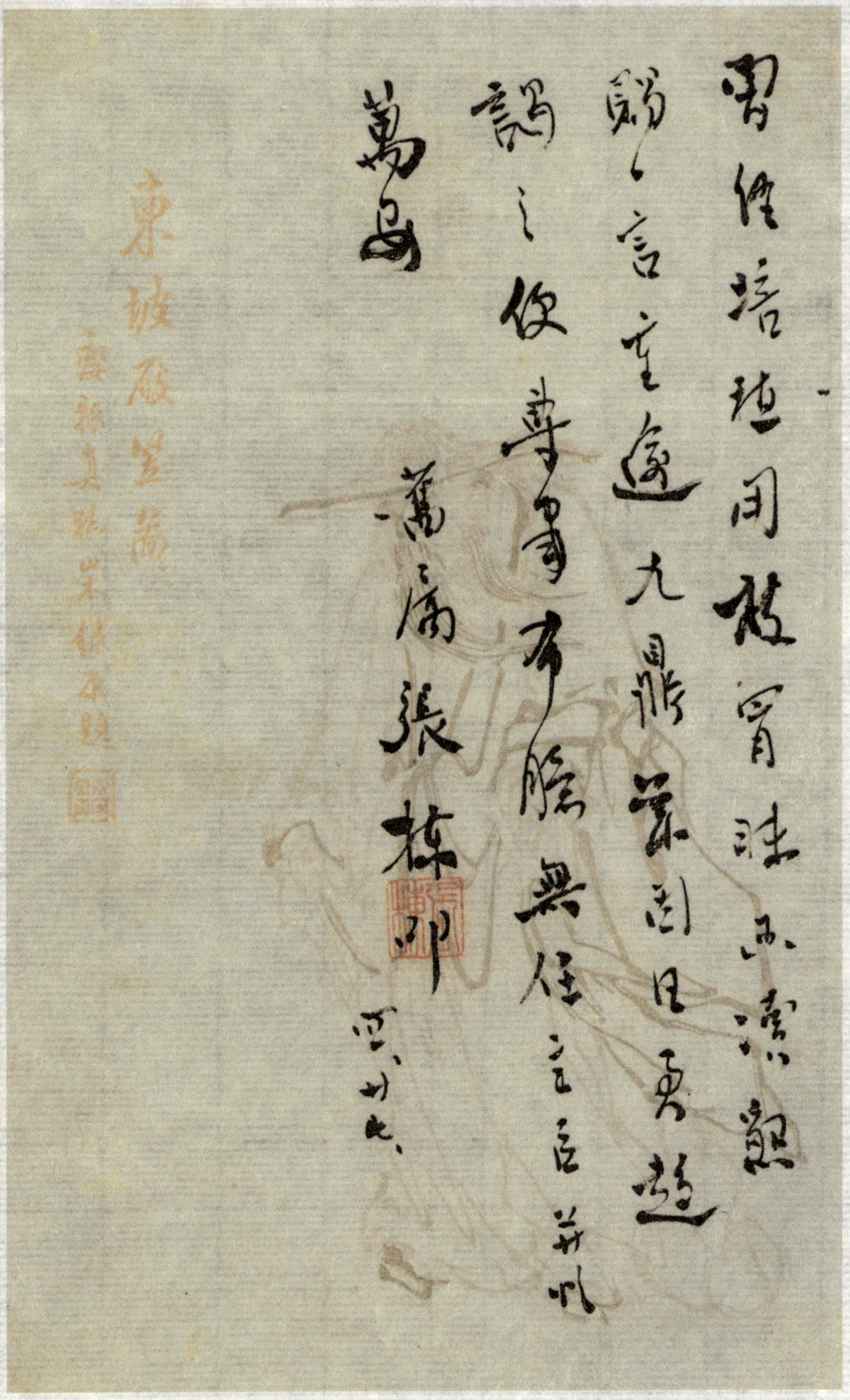

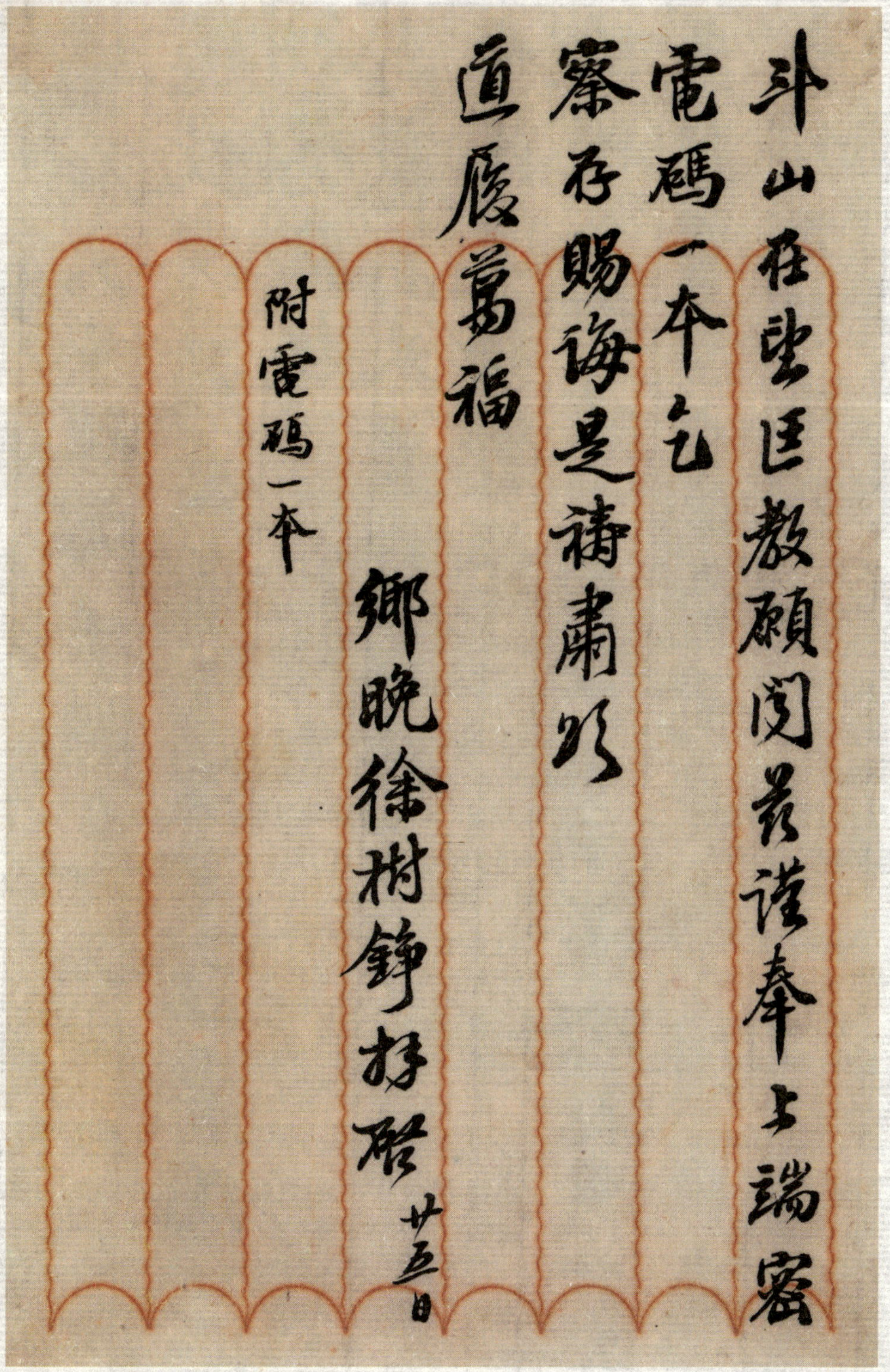

斗山在望，匡教願聞。茲謹奉上端密
電碼一本，乞
察存。賜誨是禱。肅頌
道履萬福
鄉晚徐樹錚拜啓 廿五日
附電碼一本

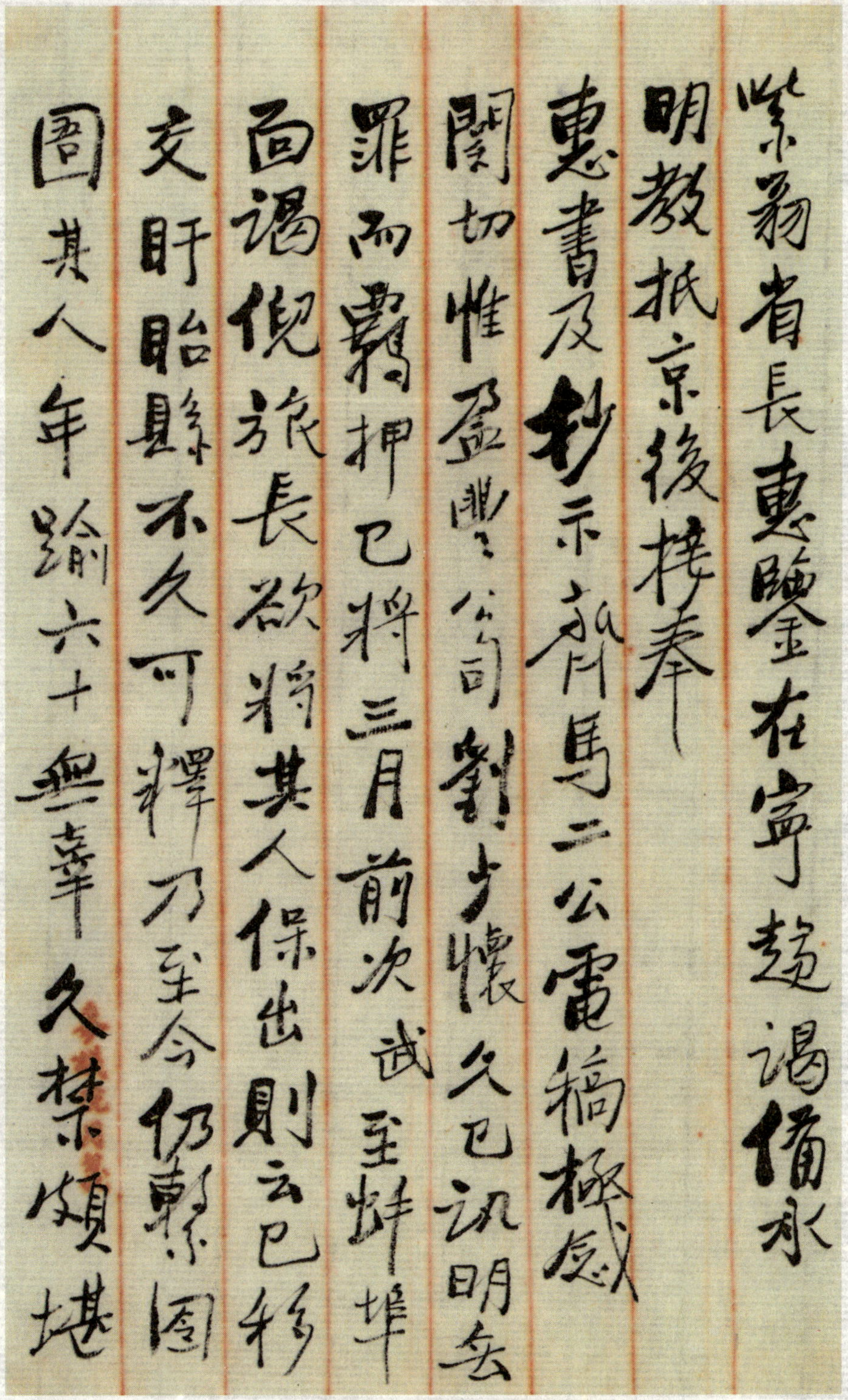

紫翁省長惠鑒：在寧趨謁，備承
明教。抵京後，捧奉
惠書，及抄示齊馬二公電稿，極感
關切。惟盈豐公司劉少懷久已訊明無
罪，而羈押已將三月。前次武至蚌埠
面謁，倪旅長欲將其人保出，則云已移
交盱眙縣，不久可釋。乃至今仍繫囹
圄。其人年逾六十，無辜久禁，殊堪

馬君武（一八八一—一九四〇）湖北蒲圻縣人，曾任北京段祺瑞執政府司法總長、教育總長，後致力于教育，與蔡元培有『北蔡南馬』之稱。

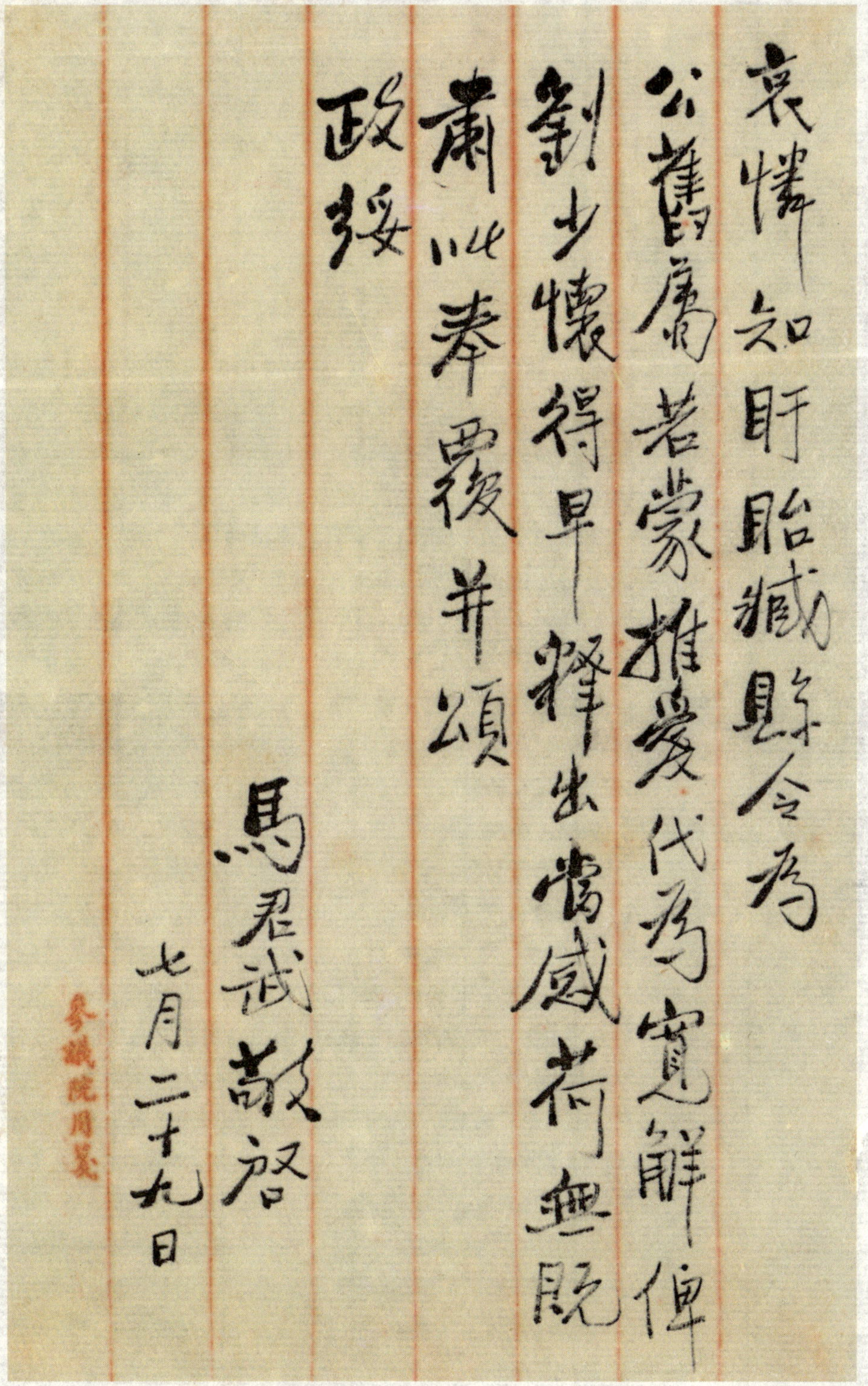
哀憐知盱眙縣令為
公舊屬，若蒙推愛代為寬解，俾
劉少懷得早釋出，當感荷無既。
肅此奉覆，並頌
政綏
馬君武敬啓
七月二十九日
參議院用箋

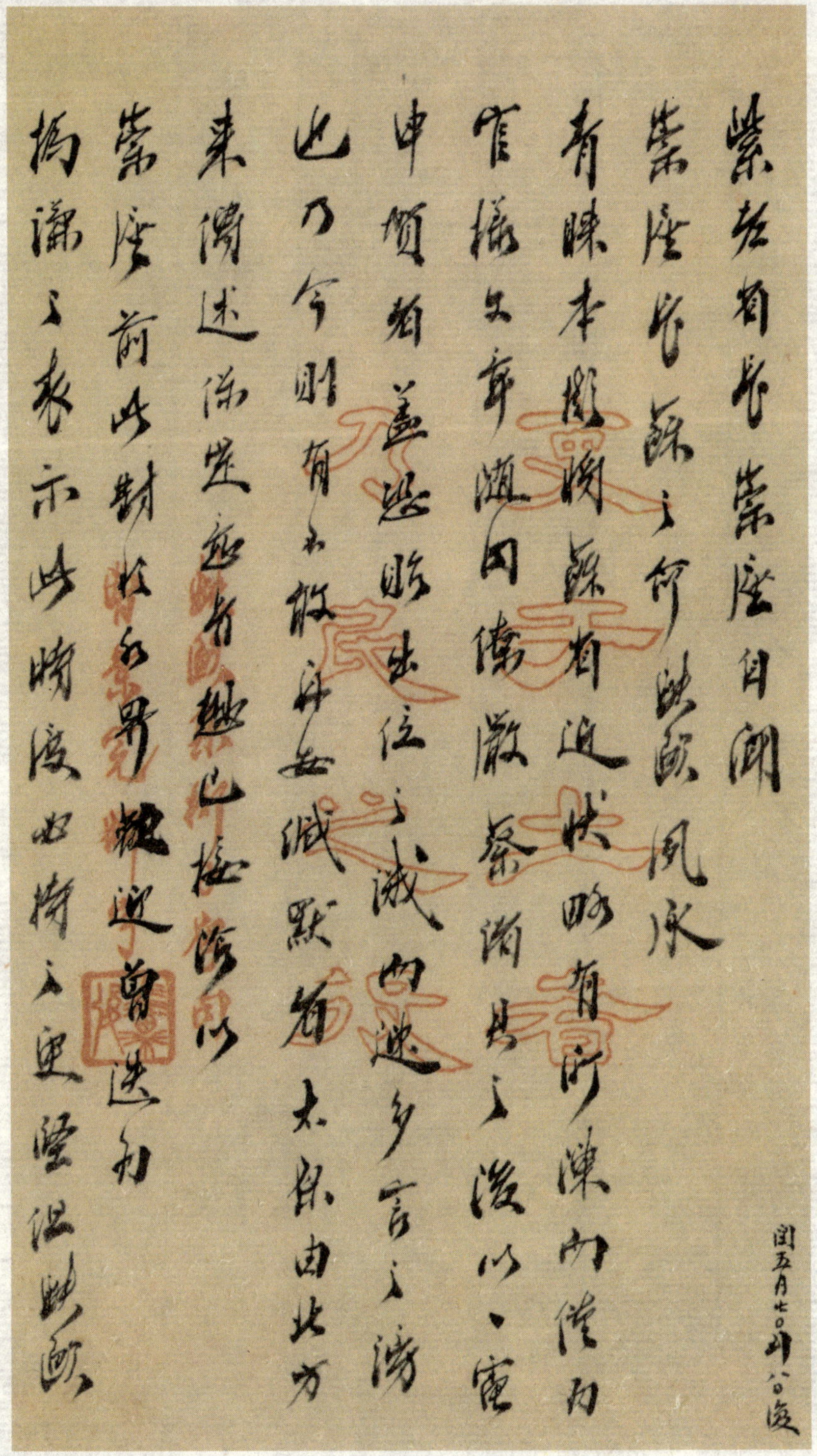
紫老有道：紫座自湖
紫座返蘇之行，軼歐風承
有睞，本擬躬謁[illegible]有道，然昨有河[illegible]陳內備力
惟據友邦湖因偉嚴察，湖長之深以、[illegible]
申願者，益豁然出位之識，而遂多言之謬
也。乃今則有不敢並無識默者，太保由北方
來，備述深宜，趣者繼以極深以
紫座前此對於礦界，[illegible]迎曾送，[illegible]
禱謝之私。示此，順渡，必將之更堅。溫軼歐
閏五月七日[illegible]

張軼歐（一八八一—一九三八）江蘇無錫人，曾赴比利時學習采礦冶金，回國後曾任農商部礦政司司長，參與創辦地質調查研究所，建立礦冶研究所，成立中國礦冶工程學會。

名人手札

韓國鈞朋儕墨迹

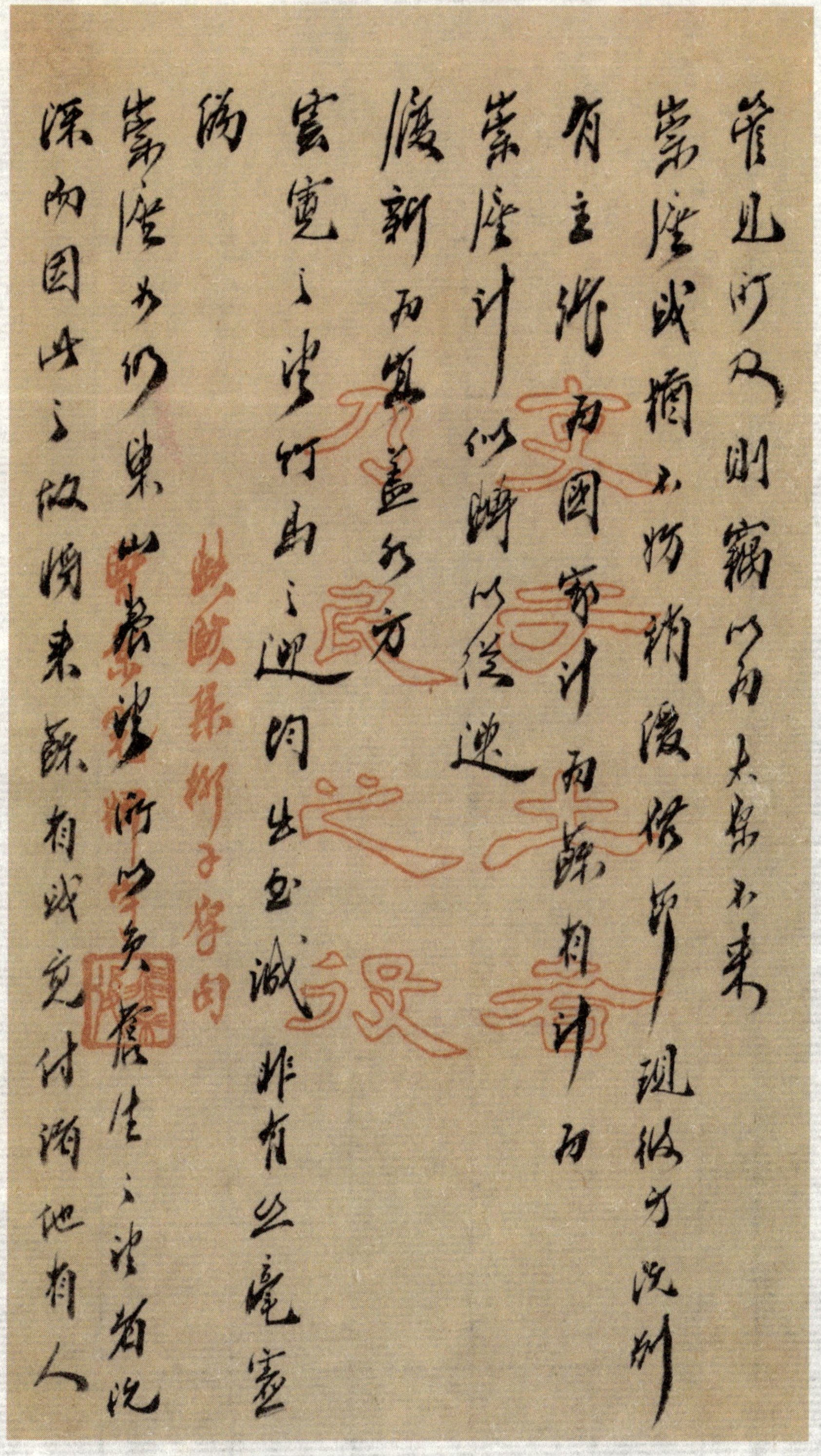

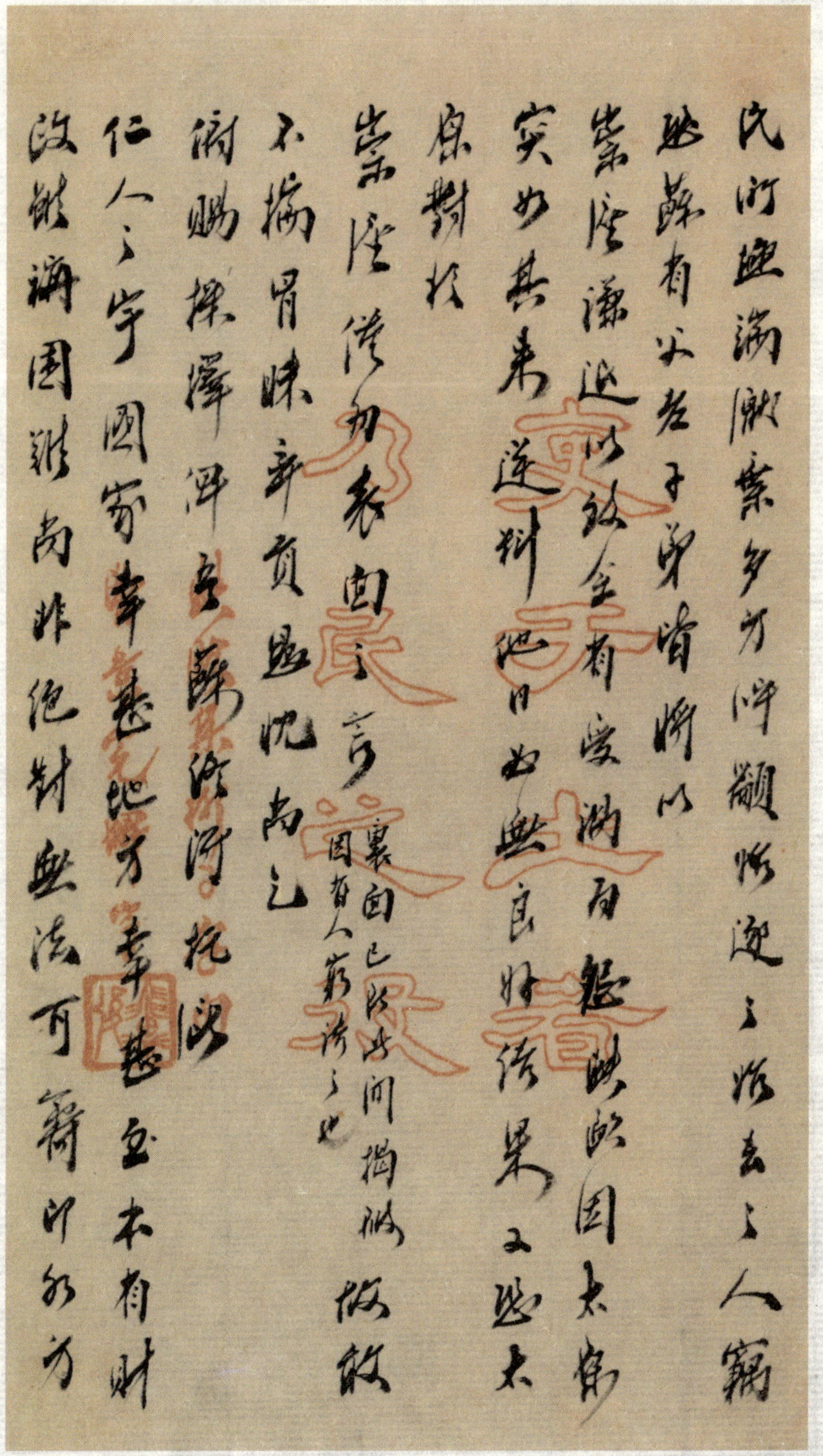

名人手札

韓國鈞朋僚墨迹

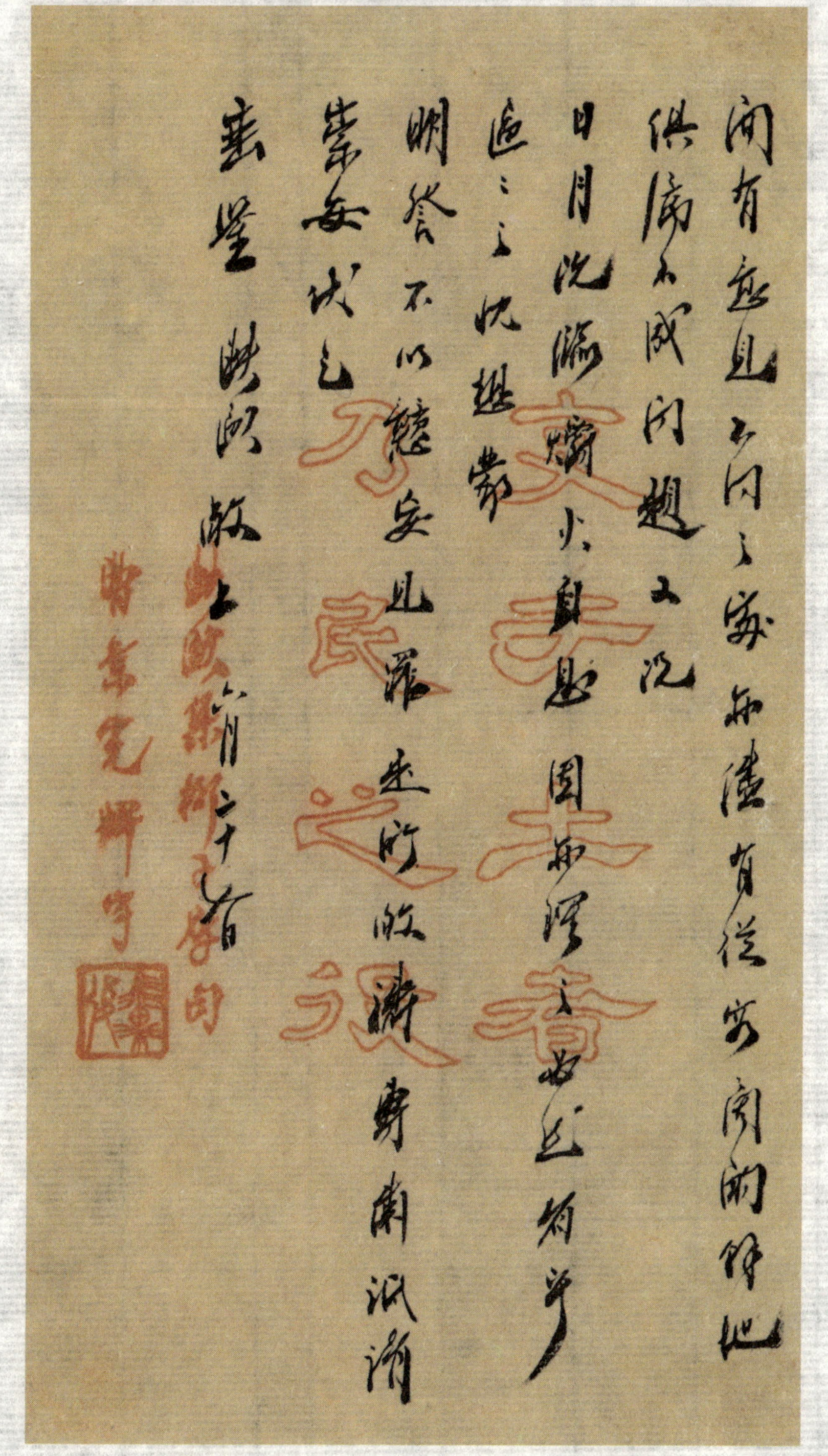

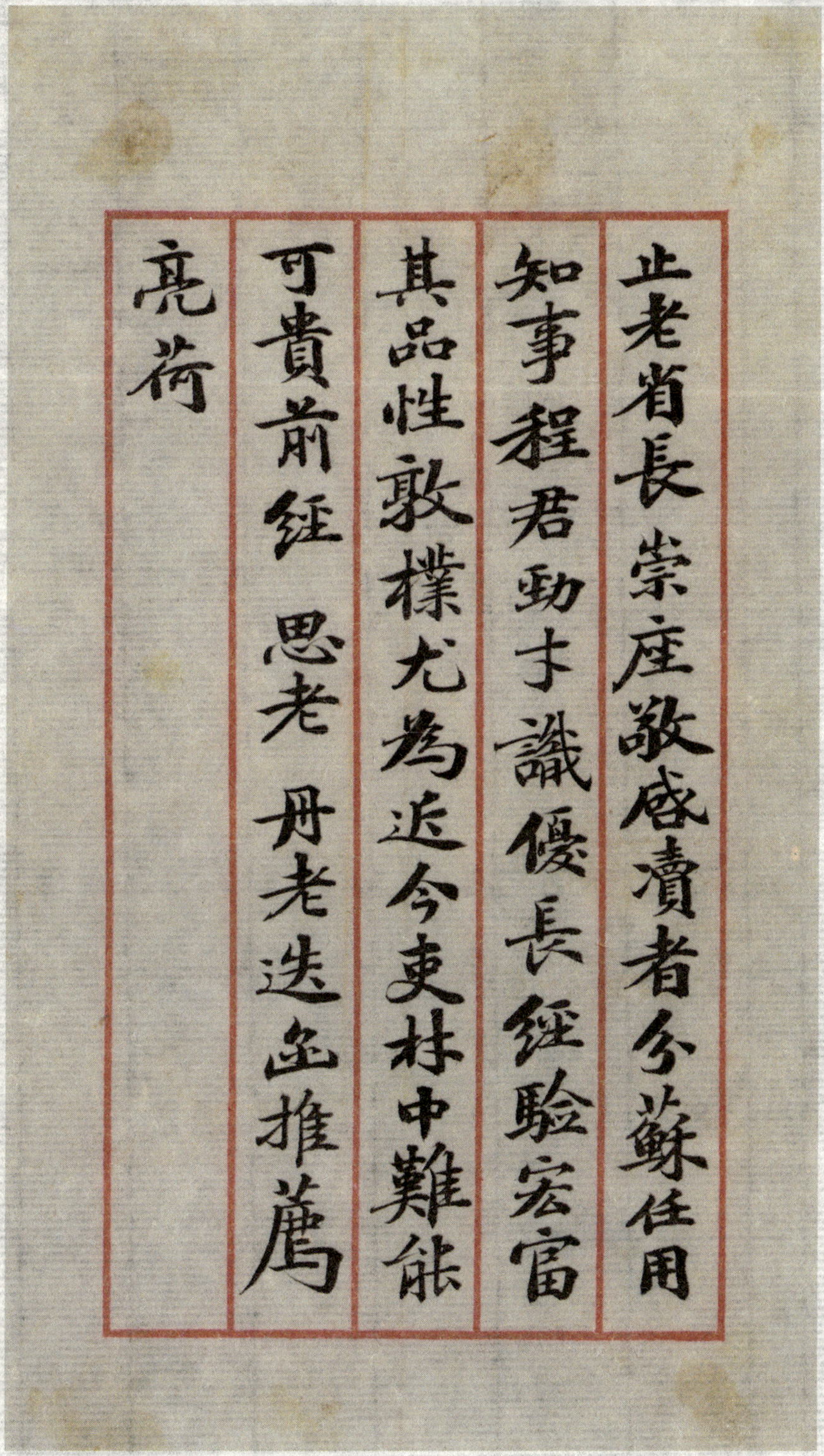

止老省長崇座敬啓者今蘇任用
知事程君勁才識優長經驗宏富
其品性敦樸尤為近今吏材中難能
可貴前經 思老 冊老迭函推薦
亮荷

陳陶遺（一八八一—一九四六）字陶怡，上海金山人，曾加入同盟會，從事革命，後曾任上海臨時參議會會長史量才的秘書長、江蘇省省長、國民政府參政會參政員。

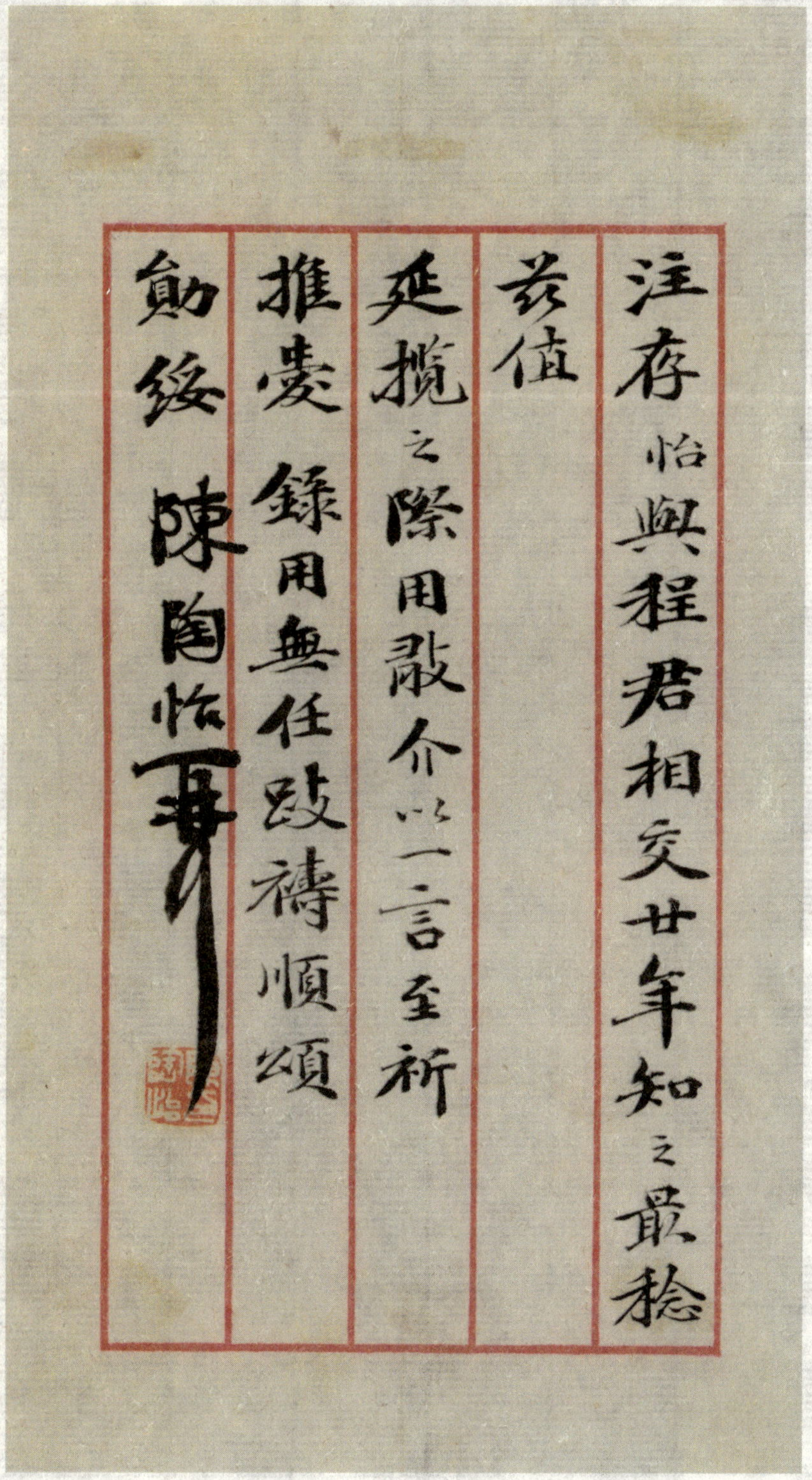
注存 怡與程君相交廿年知之最稔
茲值
延攬之際用敢介以一言至祈
推愛錄用無任跂禱順頌
勛綏 陳陶怡再

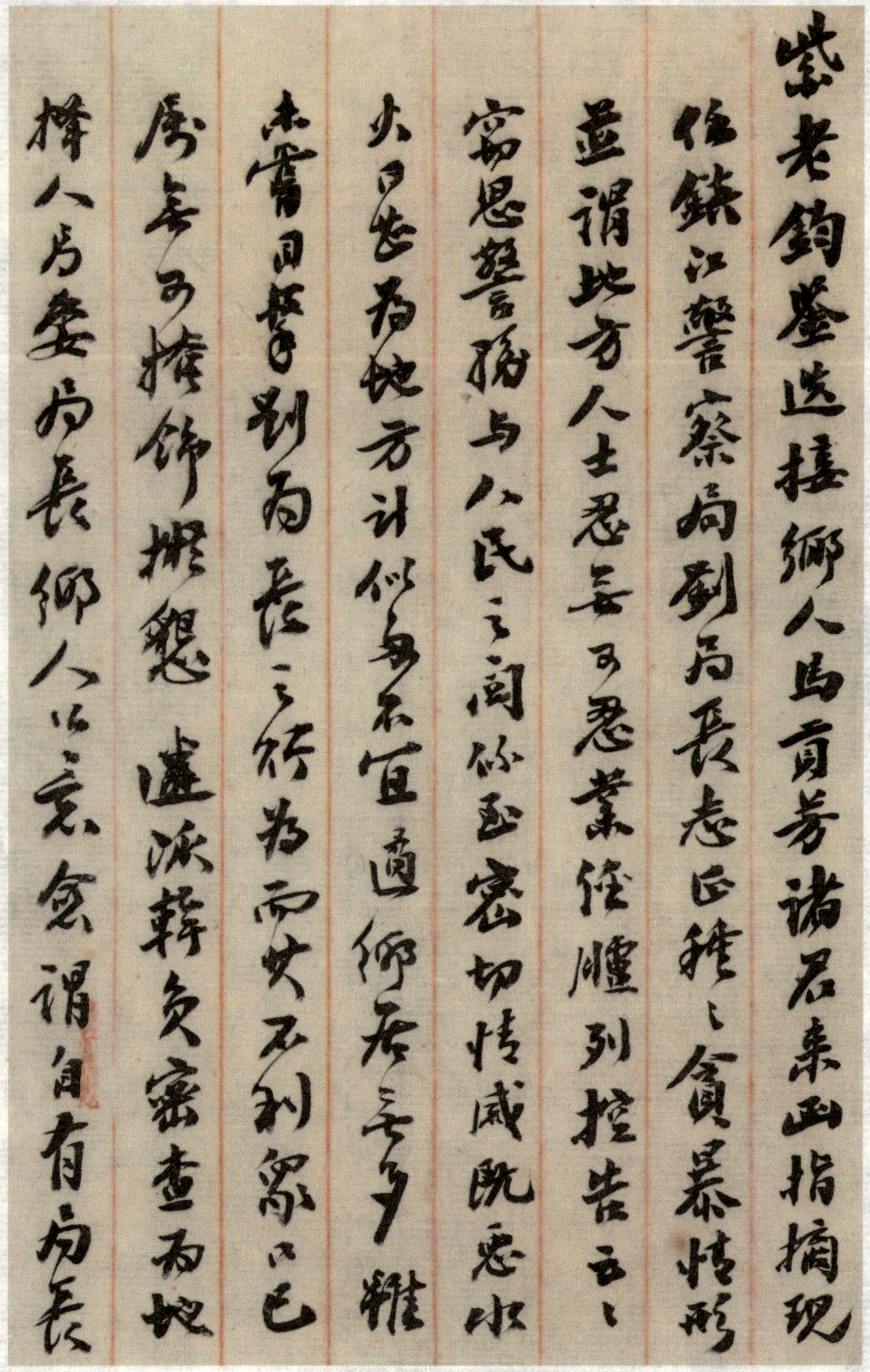
紫老鈞鑒迭接鄉人馬貢芳諸君來函指摘現
任鎮江警察局劉局長志臣種種貪暴情形
並謂地方人士忍無可忍業經臚列控告云云
竊思警務與人民之關係至密切情感既惡非
只日生為地方計似亦不宜適鄉居無多雖
未嘗目擊劉局長之所為而其不利眾口已
屬無可掩飾擬懇 遣派幹員密查而地
擇人另委為局長鄉人以感念謂自有局長

冷遹（一八八二—一九五九）江蘇丹徒人，曾參加辛亥革命、二次革命、護國運動，民國時曾任國民參政會參政員，創建民主建國會，解放後任民主建國會中常委。

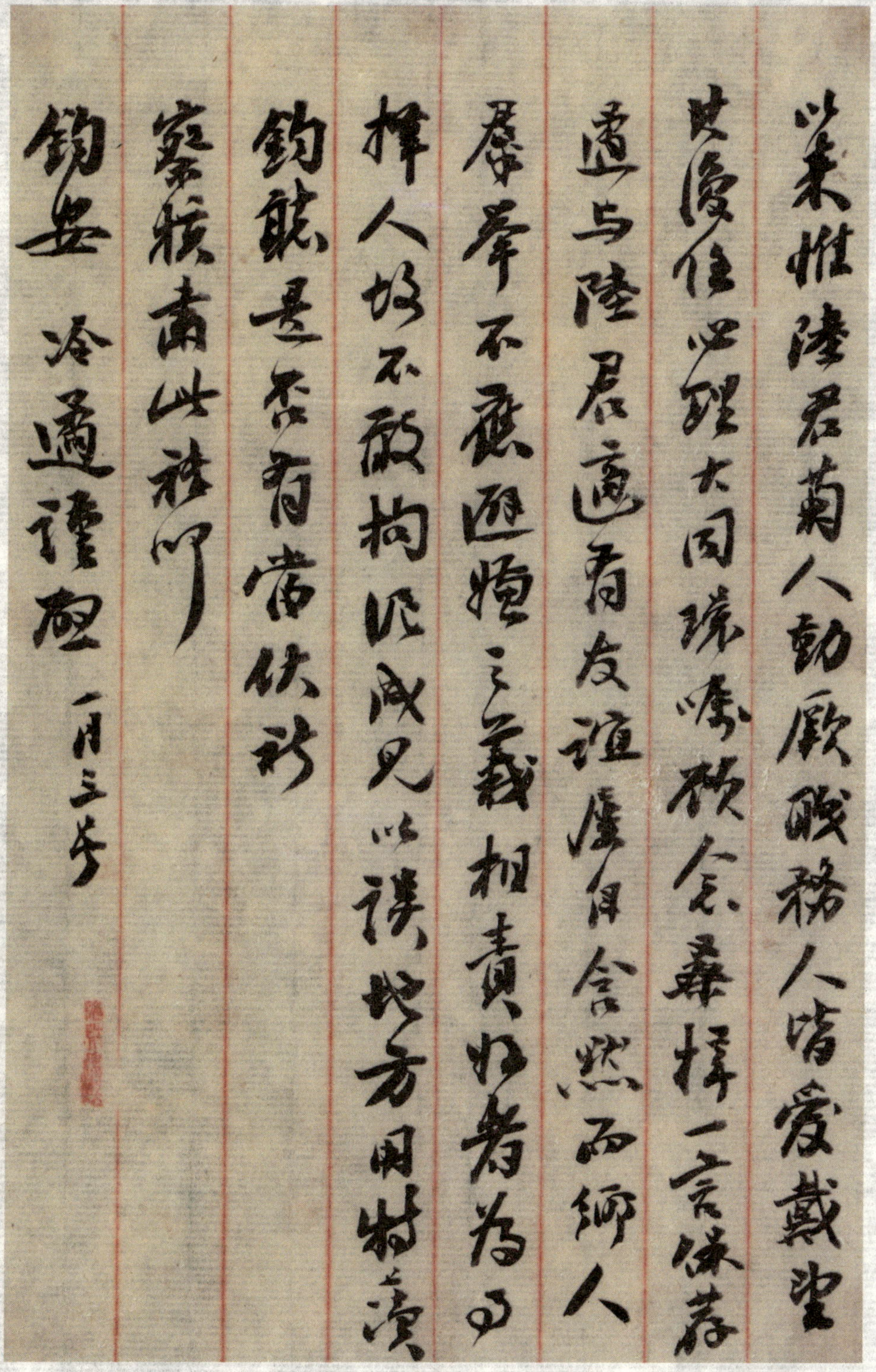

業惟陸君菊人勤厥職務人皆愛戴望
其後任必體大同張嶠欽令舉擇一言保薦
遹與陸君適有友誼雖自含默而鄉人
舉薦不厭避嫌之義相責於者為兩
擇人始不敢拘泥成見以誤地方用特瀆
鈞聽是否有當伏祈
察核甫此祗叩
鈞安 冷遹謹啓 一月三号

李儀祉（一八八三—一九三八）陝西蒲城人，國民政府時期，曾任中國水利工程學會會長、黃河水利委員會委員長兼總工程師、揚子江水利委員會顧問。

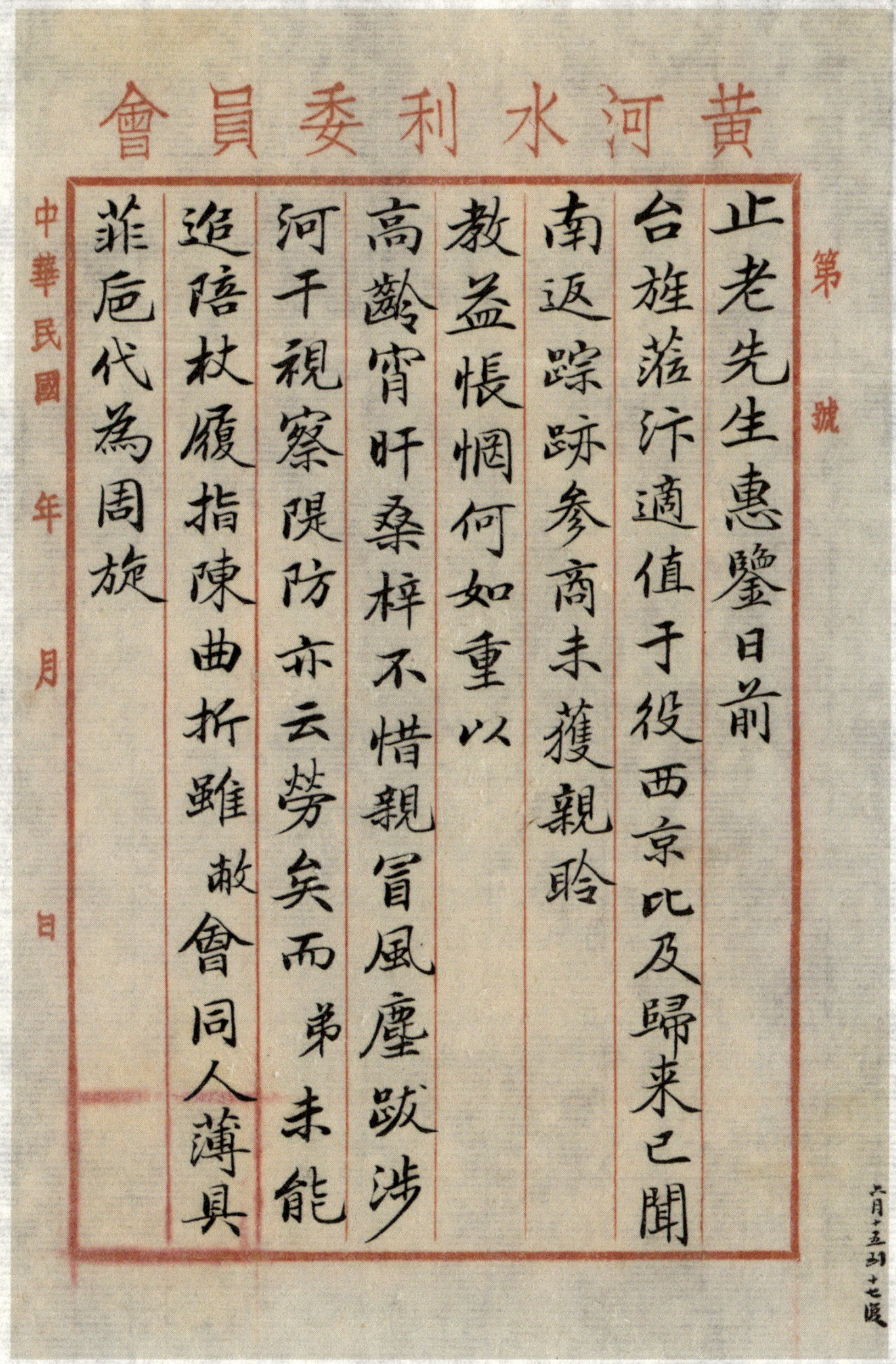

黃河水利委員會

第　號

止老先生惠鑒日前
台旌莅汴適值于役西京比及歸来已聞
南返踪跡參商未獲親聆
教益悵惘何如重以
高齡宵旰桑梓不惜親冒風塵跋涉
河干視察隄防亦云勞矣而弟未能
追陪杖履指陳曲折雖敝會同人薄具
菲卮代為周旋

中華民國　年　月　日

六月十五到十七覆

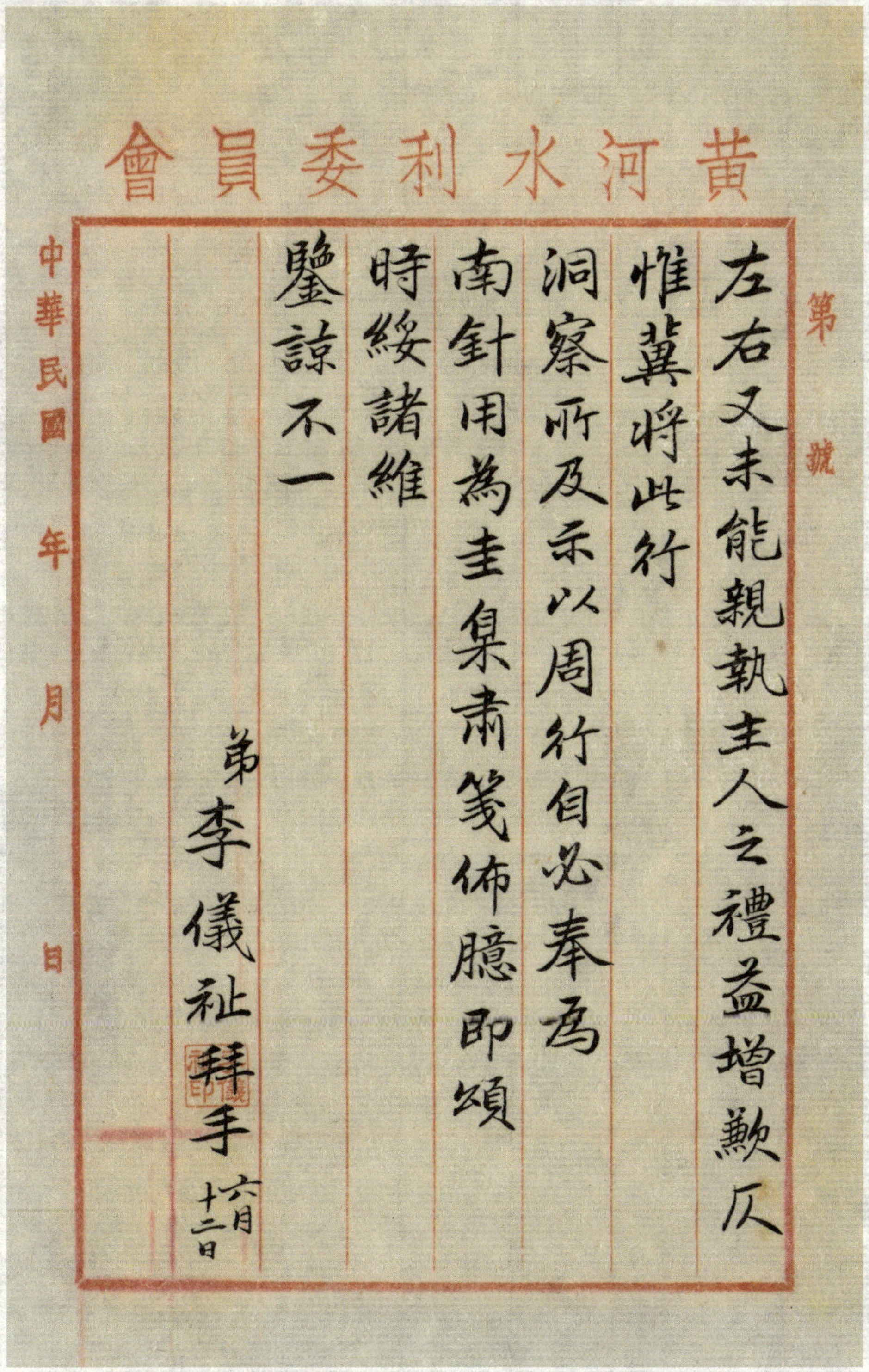

黃河水利委員會

第　號

左右又未能親執主人之禮益增歉仄
惟冀將此行
洞察所及示以周行自必奉為
南針用為圭臬肅箋佈臆即頌
時綏諸維
鑒諒不一
弟李儀祉拜手　六月十二日

中華民國　年　月　日

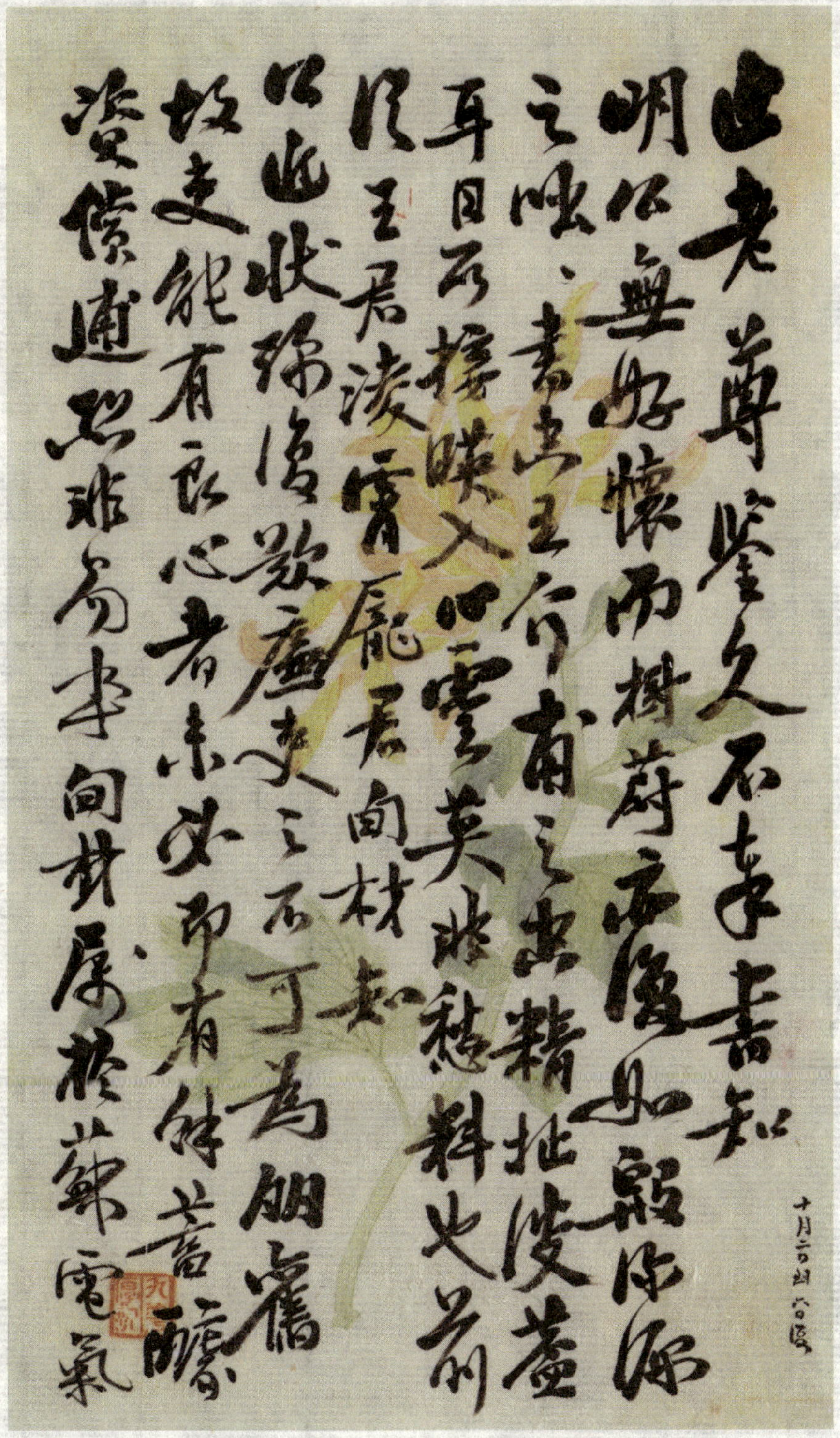

止老尊鑒久不奉書知
明公無好懷而樹蔚病復如[illegible]
之味[illegible]王仲南之出精拙凌蓋
耳日前接晤入口雲英[illegible]料史前
[illegible]王君凌霄龐君向材知
以此狀緣後款[illegible]文三石可為朋儕
故文能有良心者未必即有[illegible]
資償[illegible]向[illegible]電氣

十月[illegible]

費樹蔚（一八八三—一九三五）江蘇蘇州吴江人，民國年間曾與黃炎培、史量才等人籌組太湖流域聯合自治會，後在蘇州創設信孚銀行，在吴江創設紅十字會。

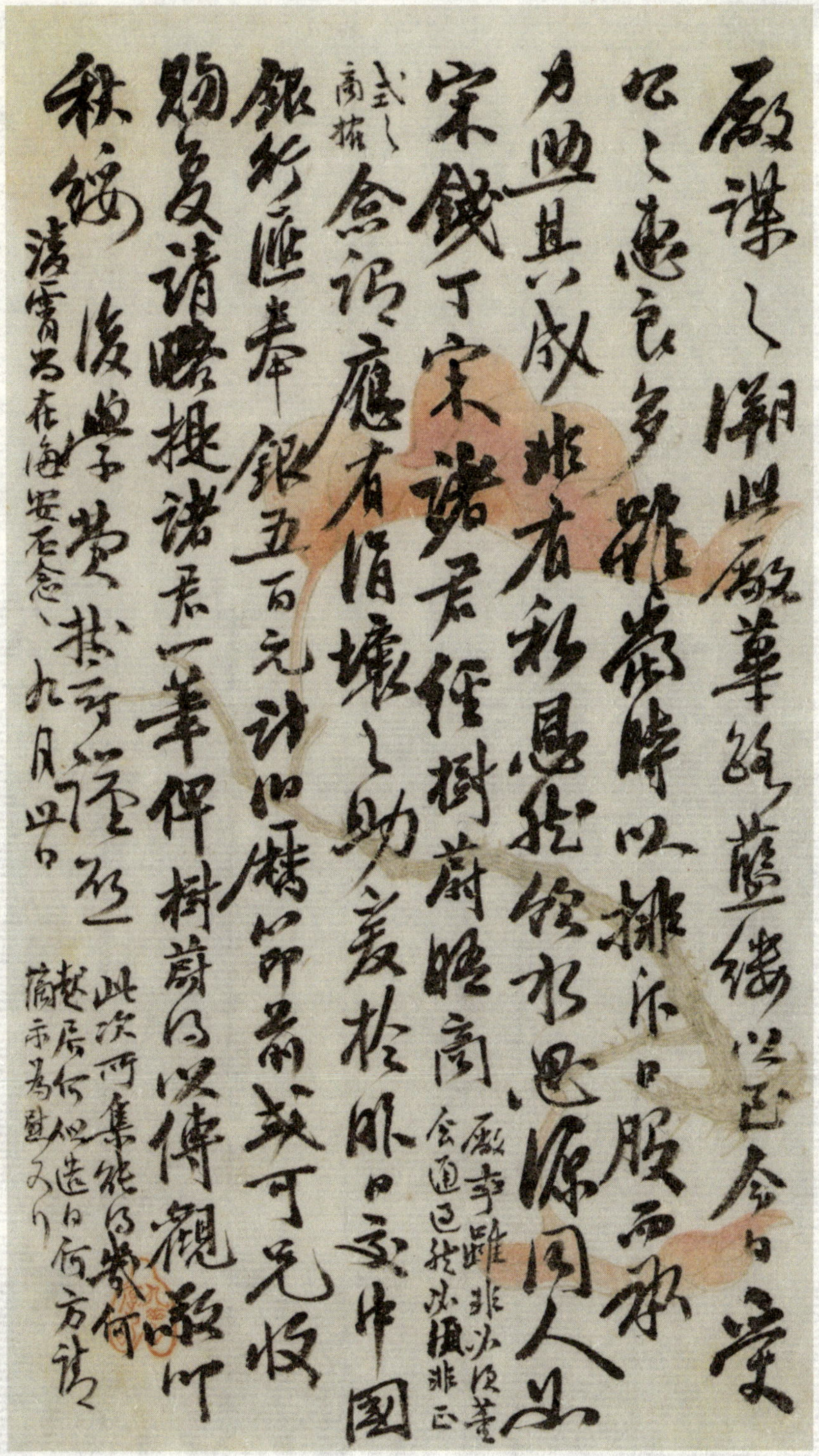

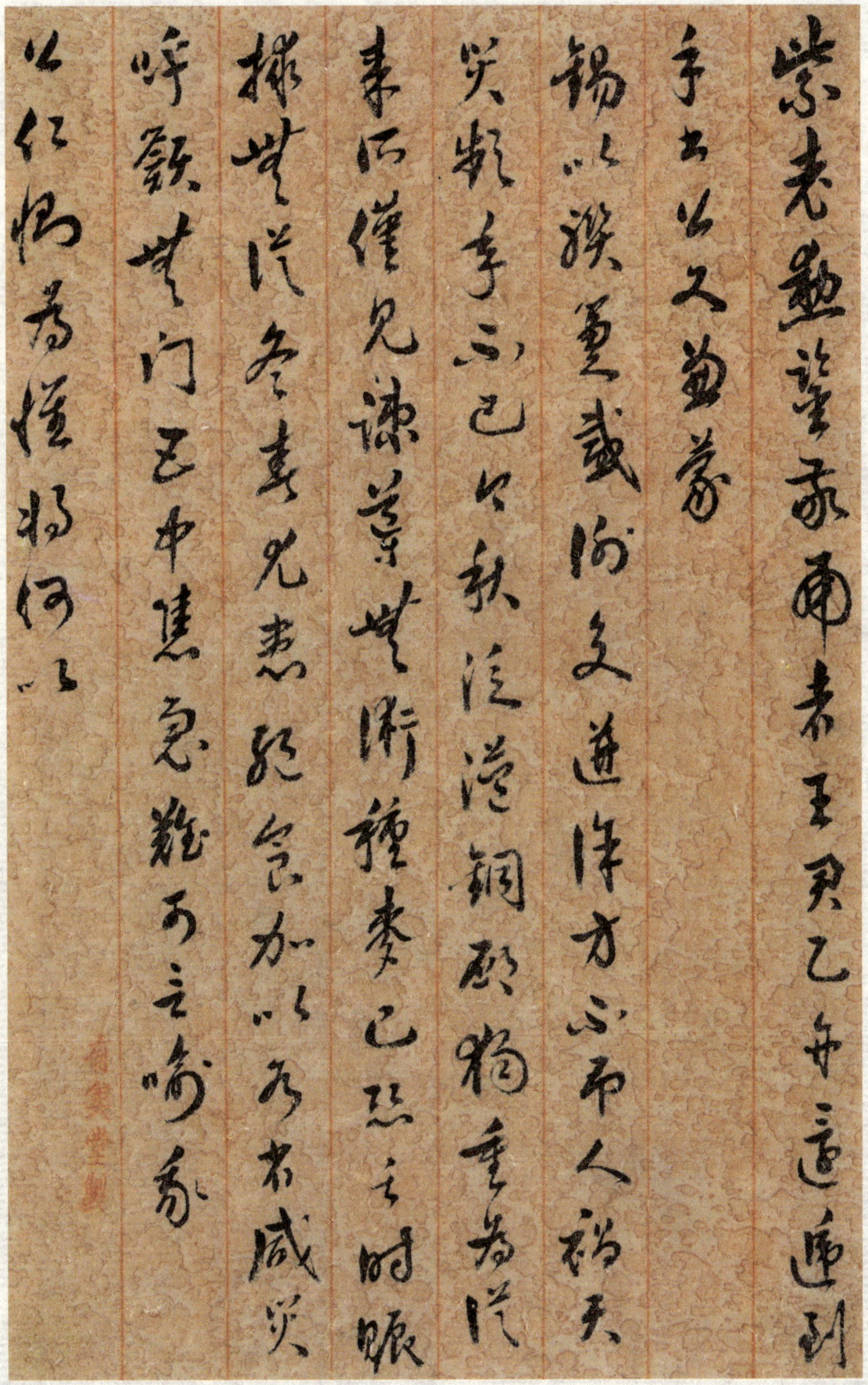

高爾登（一八八五－？）浙江杭州人，早年留學日本軍校，回國後在雲南創辦陸軍講武堂，民國年間，曾任浙江省財政司司長、浙江銀行總理、護國軍總司令部參謀長等職。

或緩也伏查江北水利千頭萬緒扼
要從困實際然至沂沭挾出海之故
以洪澤之量唯運河一綫為尾閭既其
害及兩淮稍已知不足以濟人民又習於為
安並淤地借治而不備此而不災亦甚
天理未容竊以為治本之策首在開六塘
河疏導入海使運不受沂運如此治
淮以地勢高下之望以一鉅導之入海而

全局以開溝洫為補助如是則根本
立而淮水害可除水利可興不此之圖
日從事於局部之補苴罅漏其可惟
是六塘淤塞已甚開濬工程不貲是以人
皆畏而坐視其實估工雖鉅三百萬
徵發民工可省其半再分年興工約計
三年竣事則每年數十萬亦可著手 [illegible]
鈞以為苟上下一心竭精力而赴之亦未必

[illegible]
[illegible]
[illegible]
[illegible]
[illegible]
[illegible]
[illegible]

[illegible]
[illegible]
[illegible]
[illegible]
[illegible]
[illegible]
[illegible]

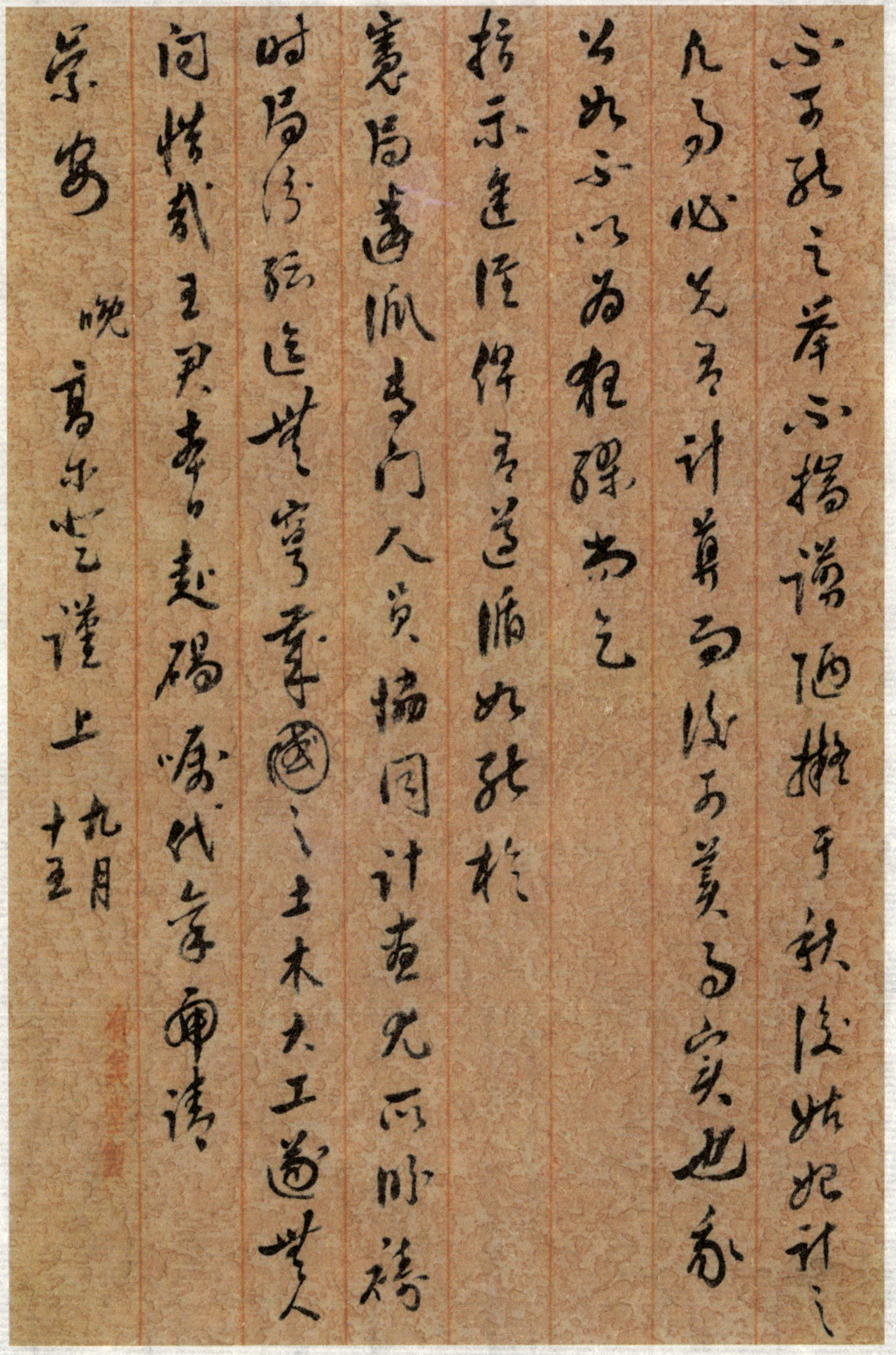

不可能之事不揭諸隨擬于秋後始如計之
凡事心先有計算而後可策為實也務
以此不得為粗躁為之
指示進隨時遵循如能於
憲局遴派專門人員協同計畫先行勘[illegible]
時局得能進步寔國之土木大工[illegible]人
同情哉王君素起碼儲代為申請
崇安
晚 高爾登謹上 九月十五

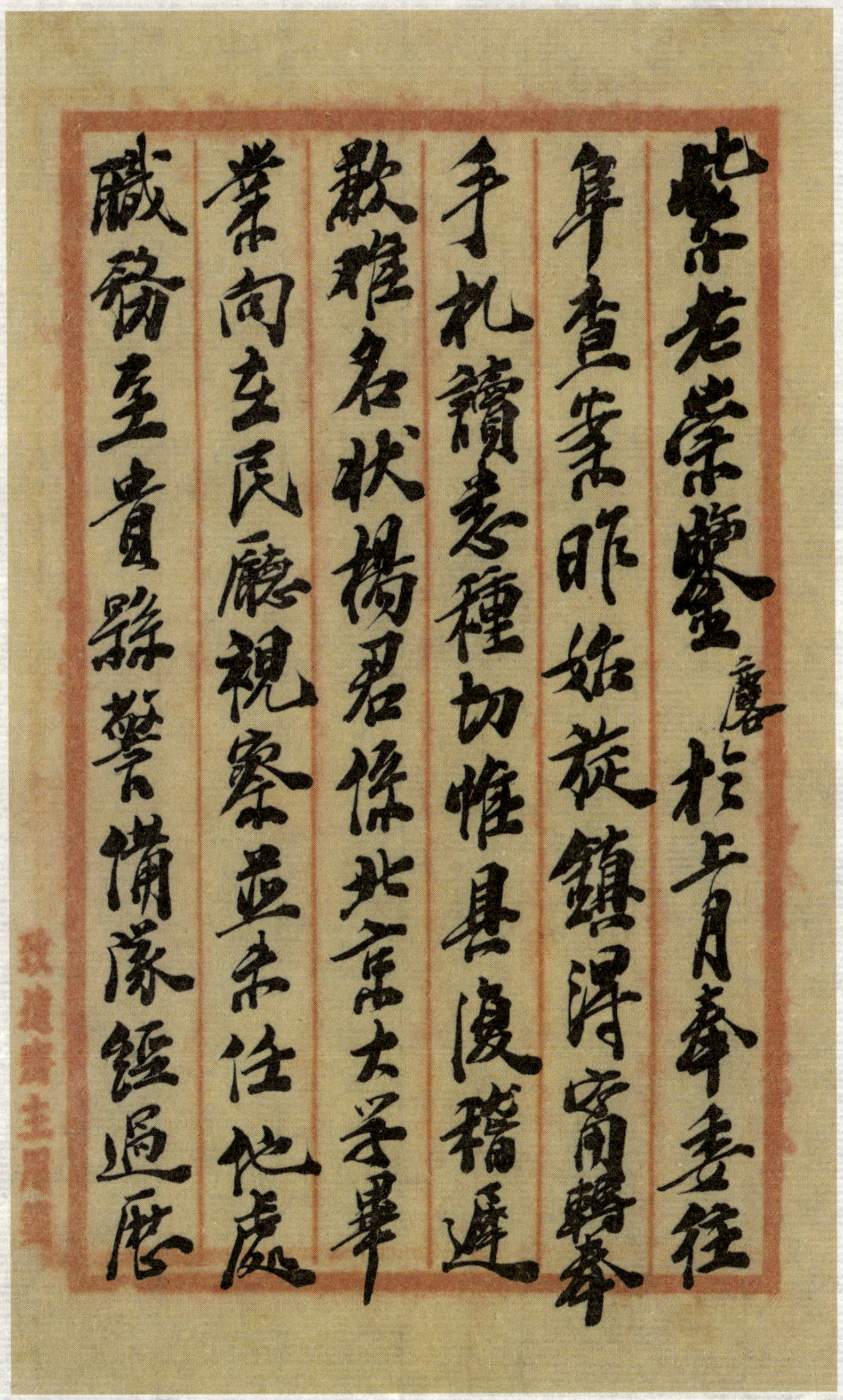

紫老崇鑒 麐於上月奉委往
阜查案昨始旋鎮得寄聲奉
手札讀悉種切惟县復稽遲
歉難名狀揚君係北京大學畢
業向在民廳視察並未任他處
職務至貴縣警備隊經過歷

張斯麐（一八八五—一九六七）江蘇鎮江人，曾赴日本軍校學習，歸國後在陸軍部任職，曾代表北京政府與俄國聯系和談判，後曾任安徽、福建等地的縣長。解放後任上海文史館館員。

史
賡所素知現雖改為公安局
自以原任人員為宜業將詳情
面告前途矣且總務科楊君財
政科周君頗有經驗與賡相熟
對各要政當能審慎從事不
致操切急進也肅復敬請

致遠齋主用箋

崇安伏維
愛照　張斯賡謹上
九月二十日

致遠齋主用箋

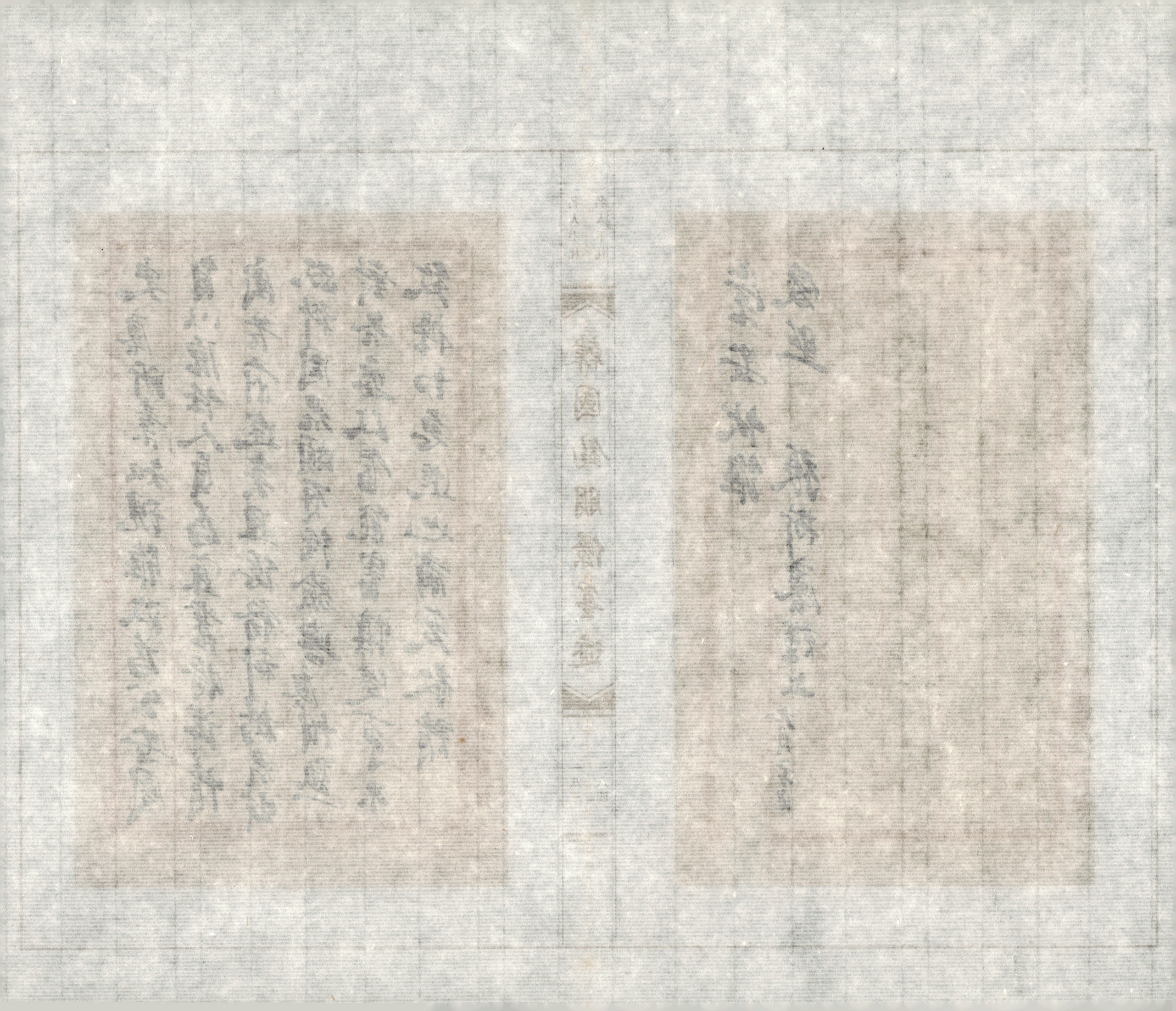

龐樹森（一八八六—一九七一）蘇州張家港人，曾任江蘇省政府機要秘書、政務廳廳長、常熟縣縣長、昆山縣縣長、江蘇省臨時參議會議長，主持修治江南海塘工程。

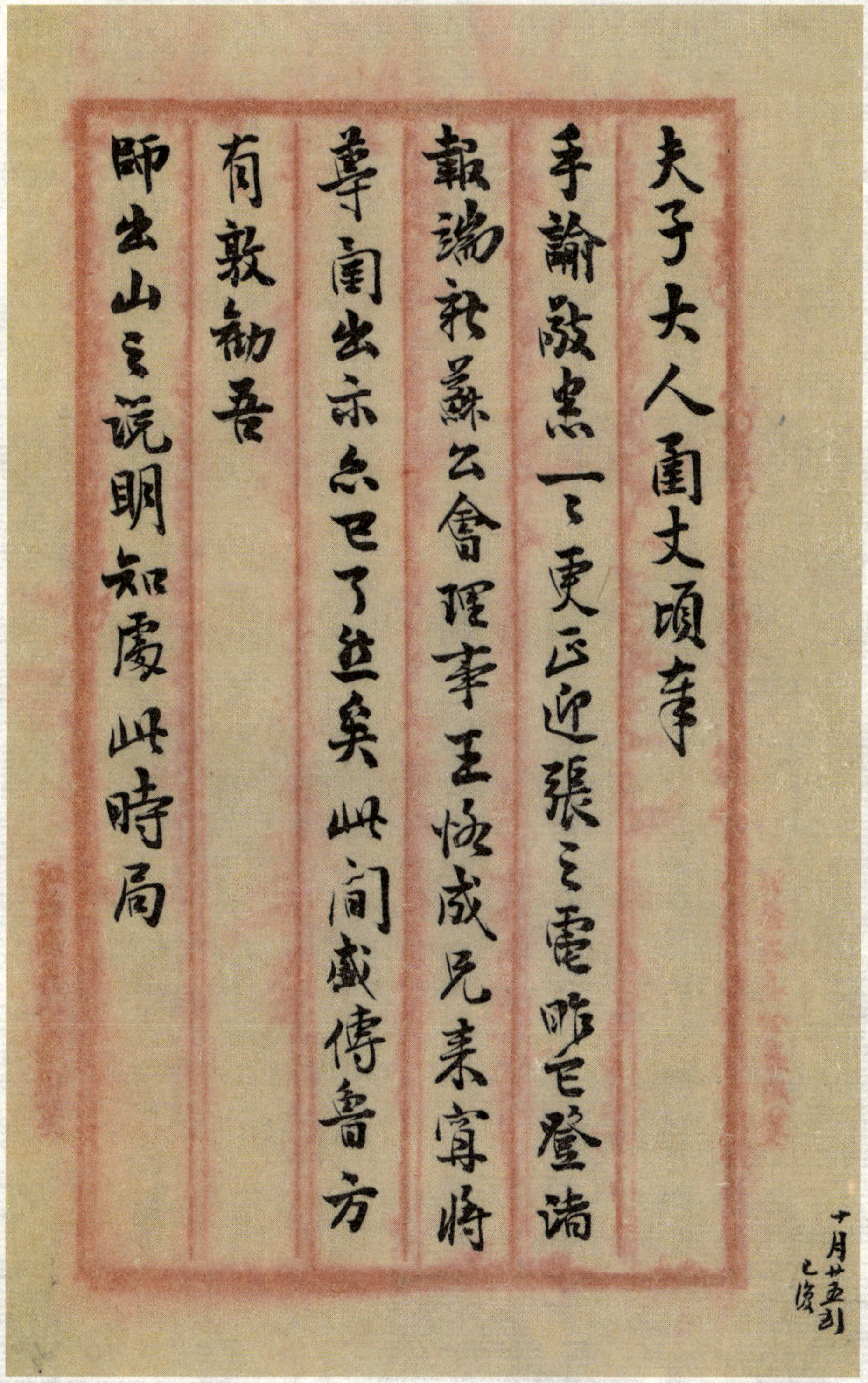
夫子大人函丈：頃奉
手諭，敬悉一一。更正迎張之電，昨已登諸
報端。頃蘇公會理事王惕成兄來寓，將
尊函出示，悉已了然矣。此間戲傳魯方
有敦勸吾
師出山之說，明知處此時局

十月廿五到
已復

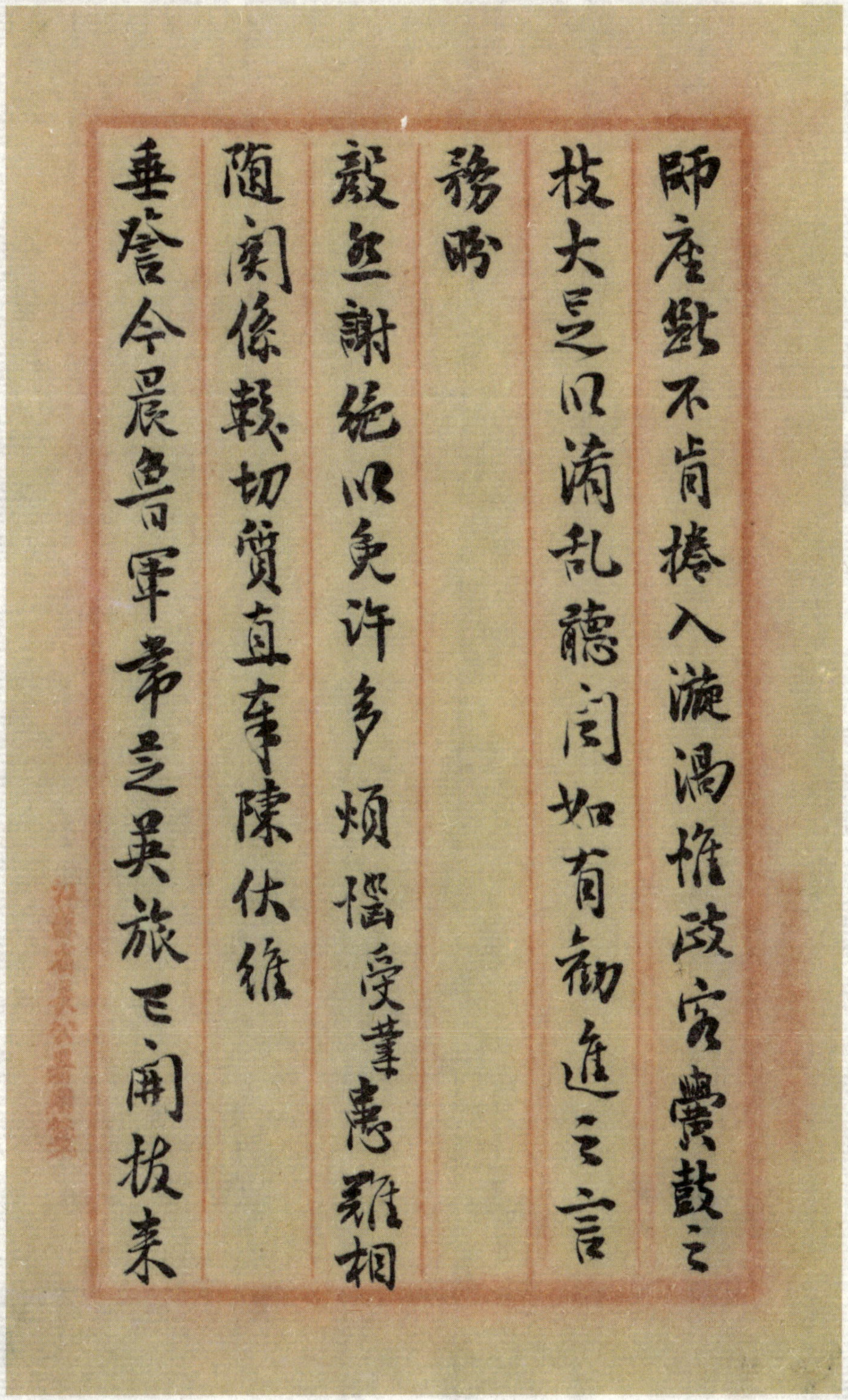
師座斷不肯捲入漩渦，惟政客黨鼓之
技，大足以淆亂聽聞，如有勸進之言，
務盼
毅然謝絕，以免許多煩擾。受業患難相
隨，關係較切，質直奉陳，伏維
垂詧。今晨魯軍第三英旅已開拔來

韓國鈞朋僚墨迹

寧聯軍均退，滬寧綫以後結果如何，實抱無限之杞憂也。專肅奉復，敬請
崇安
受業龐樹森謹稟
十一月二十六日

名人手札

中華職業教育社用箋

社徽 民國六年七月訂

孫中山先生格言：學校之目的，於讀書識字學問智識之外，當注重於養手萬能，力求實用。

止老尊鑒：廿六日
大示奉悉。日昨曾偕 任之先生
約 黃卿法、許潞公、沈望楚民上海
兩行代表商量
貴縣如何籌辦設倉收押米穀
辦法，當經決定由農行經理函達
如皋分行許行長逕赴姜堰備
泰壹以倉妥為籌辦，一俟彼行函
十二月十二日 十六後記

社址 上海華龍路環龍路口

電報掛號 國內 國外 有線 無線 七六四六 Vocational

電話 七一八四八

江恒源（一八八六—一九六一）江蘇灌雲人，曾任江蘇省、河南省教育廳廳長，國民參政會參政員，解放後任全國政協委員、上海文史館館員。

莊謙（一八八六—一九三四）福建閩侯人，曾任北京政府司法部民事司司長、駐日公使館一等秘書及代辦使事。

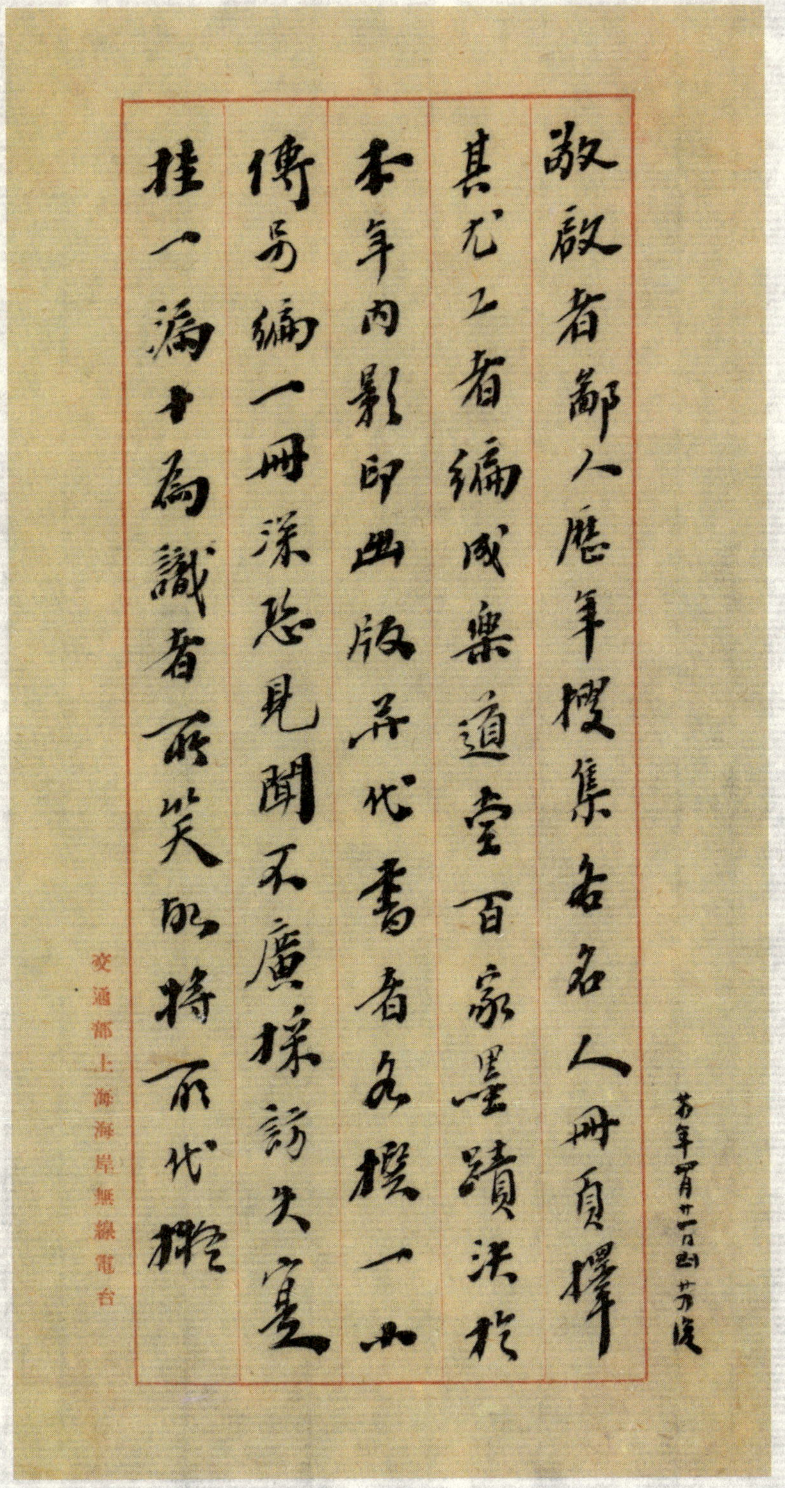
敬啟者，鄙人歷年搜集名人冊頁，擇其尤工者編成樂道堂百家墨蹟，洪於本年內影印出版，吊代書者各檢一小傳，另編一冊，深恐見聞不廣，採訪失宜，挂一漏十，為識者所笑，敢將所代撰

廿年四月廿一日函 莊謙

交通部上海海岸無綫電台

韓國鈞朋僚墨迹

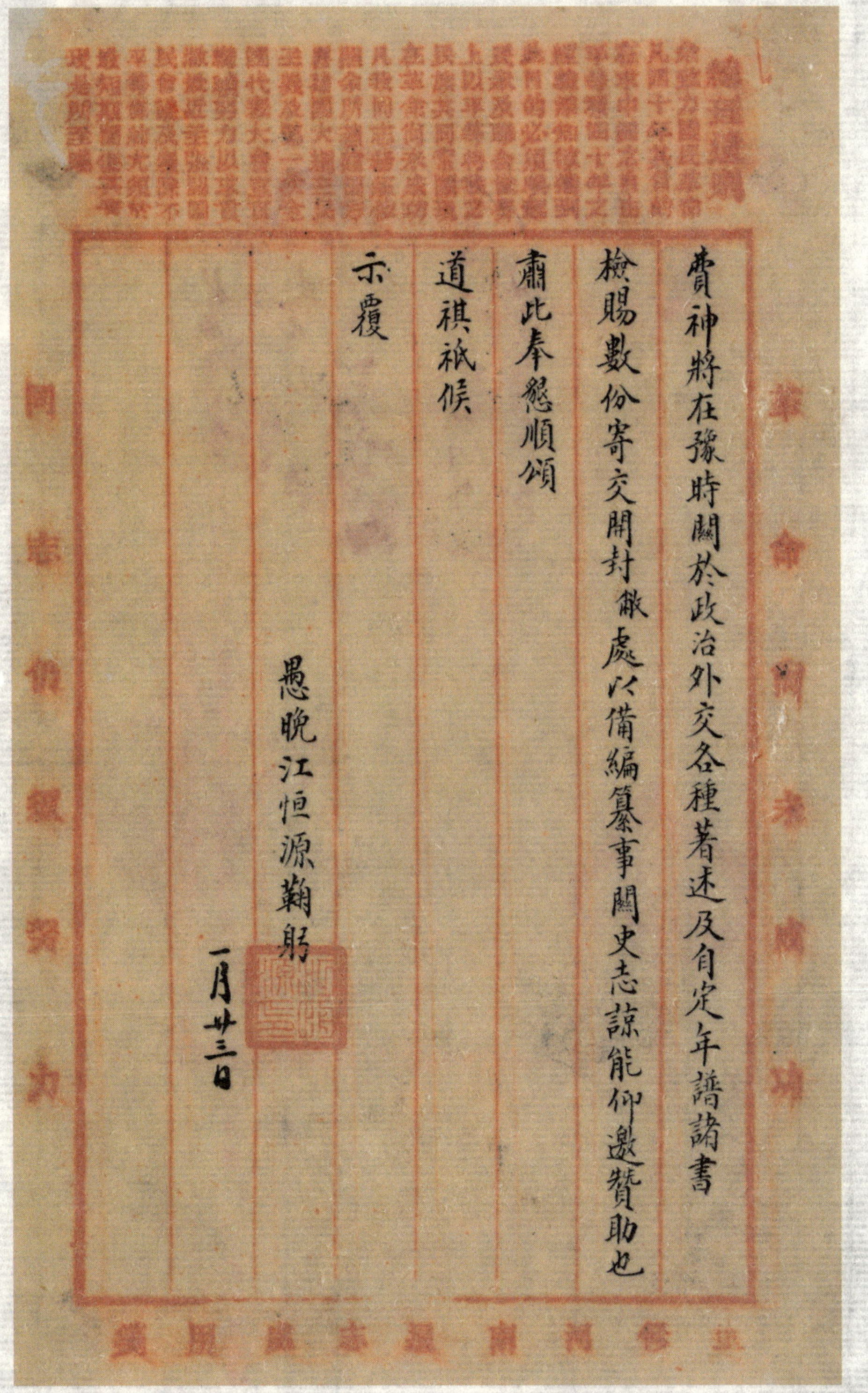
貴神將在豫時關於政治外交各種著述及自定年譜諸書

檢賜數份寄交開封敝處以備編纂事關史志諒能仰邀贊助也

肅此奉懇順頌

道祺祇候

示覆

愚晚江恒源鞠躬

一月廿三日

革命尚未成功

同志仍須努力

名人手札

韓國鈞朋僚墨迹

張君勱（一八八七—一九六九）原名嘉森，上海寶山人，辛亥革命後曾任寶山縣議會議長，組織過中國國家社會黨、抗戰建國同志會，後任中國民社黨主席，在雲南創設中國民族文化學院。

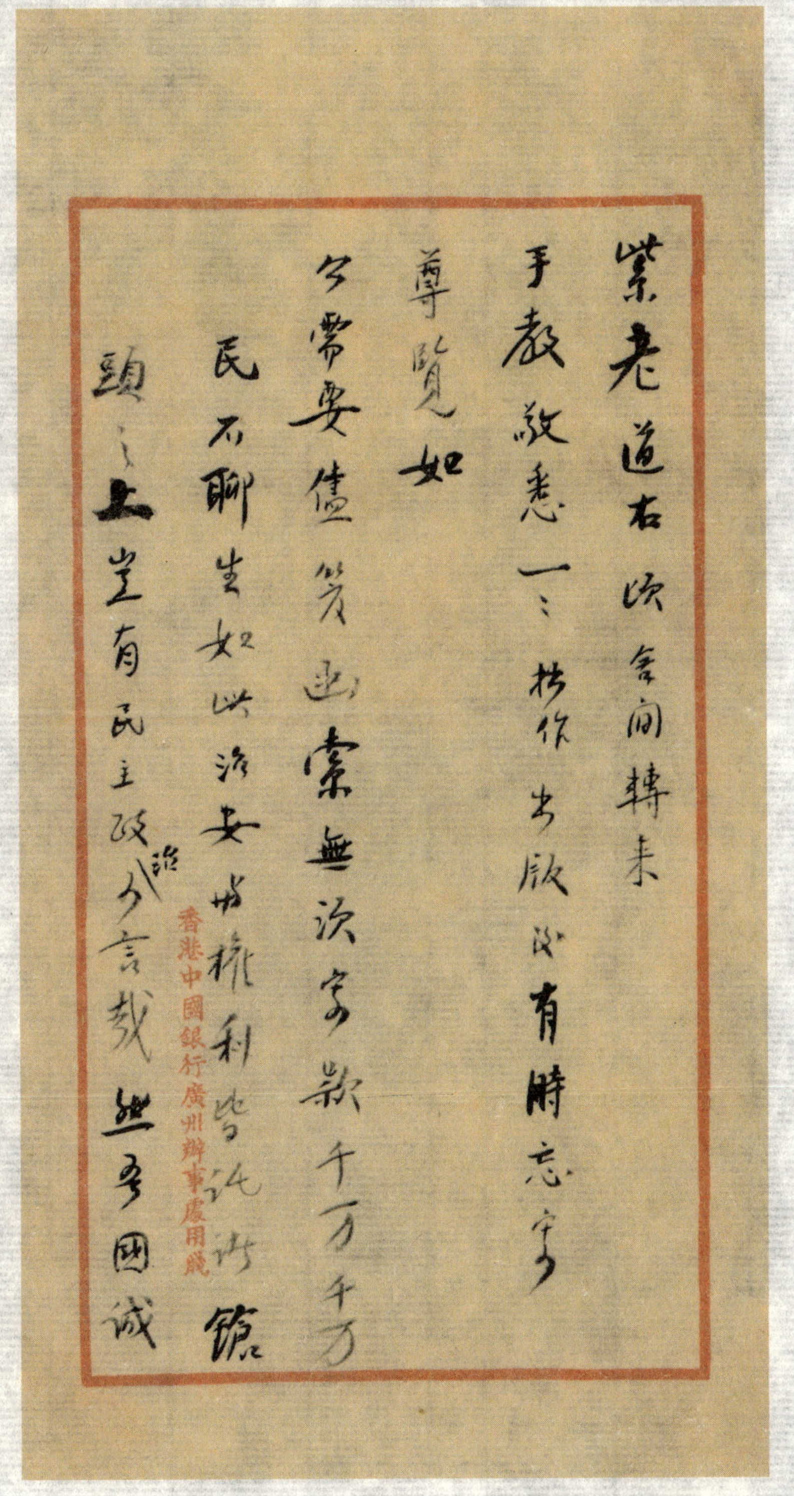

紫老道右：頃奉自向轉來
手教，敬悉一一。拙作出版後有時忘寄
尊覽，如
公需要，儘管函索，無須客氣，千万千万。
民不聊生，如此治安，世界和平皆談不到。館
頭上，豈有民主政治之言哉。無多函誠

香港中國銀行廣州辦事處用箋

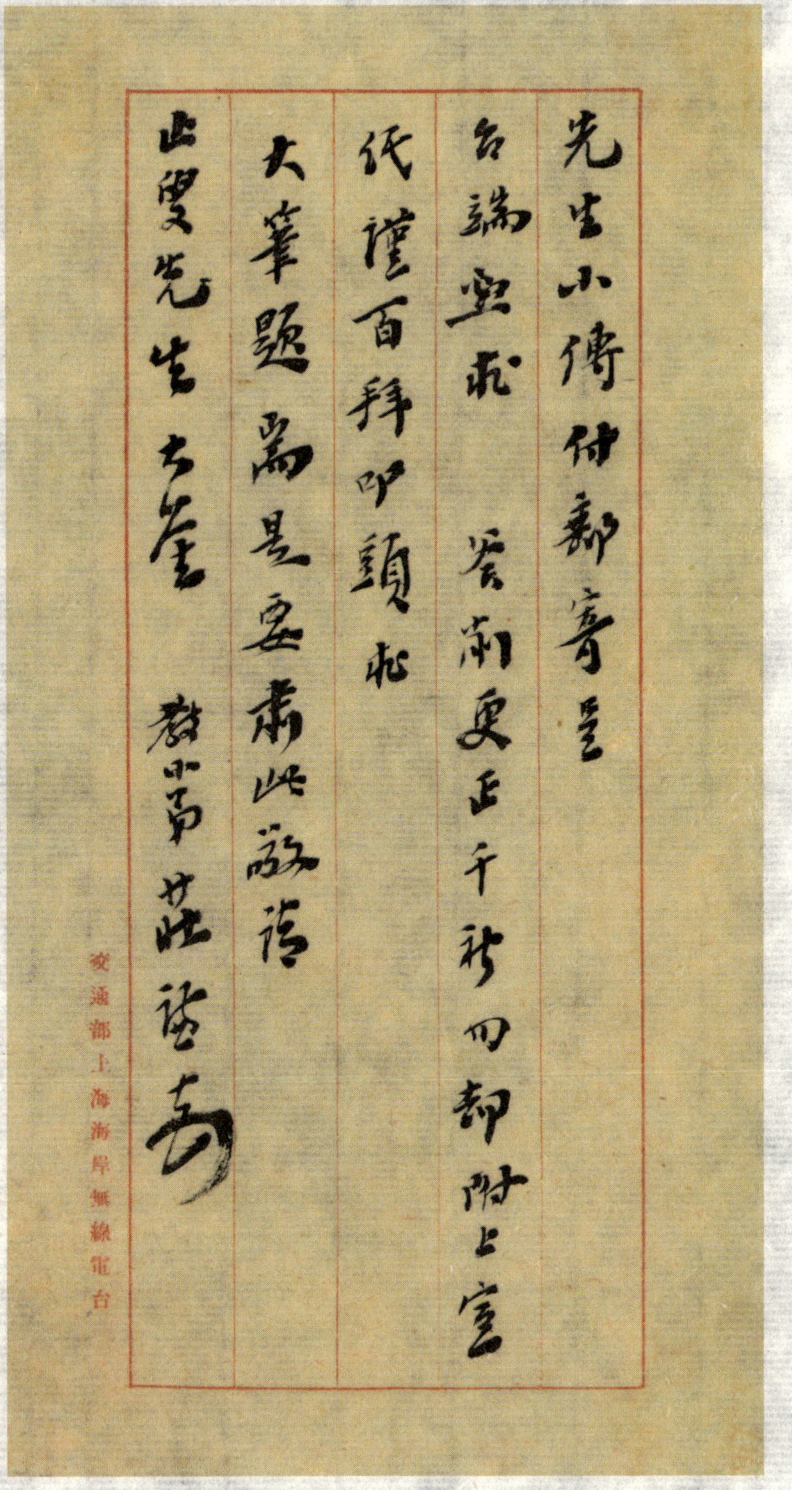

先生小傳付郵寄呈
台端，並乞 譽閣更正。千秋之後，即附上宣
紙，謹百拜叩頭也。
大筆題簽是要。肅此敬請
止叟先生大安
教小弟莊蘊寬

交通部上海海岸無線電台

韓國鈞朋僚墨迹

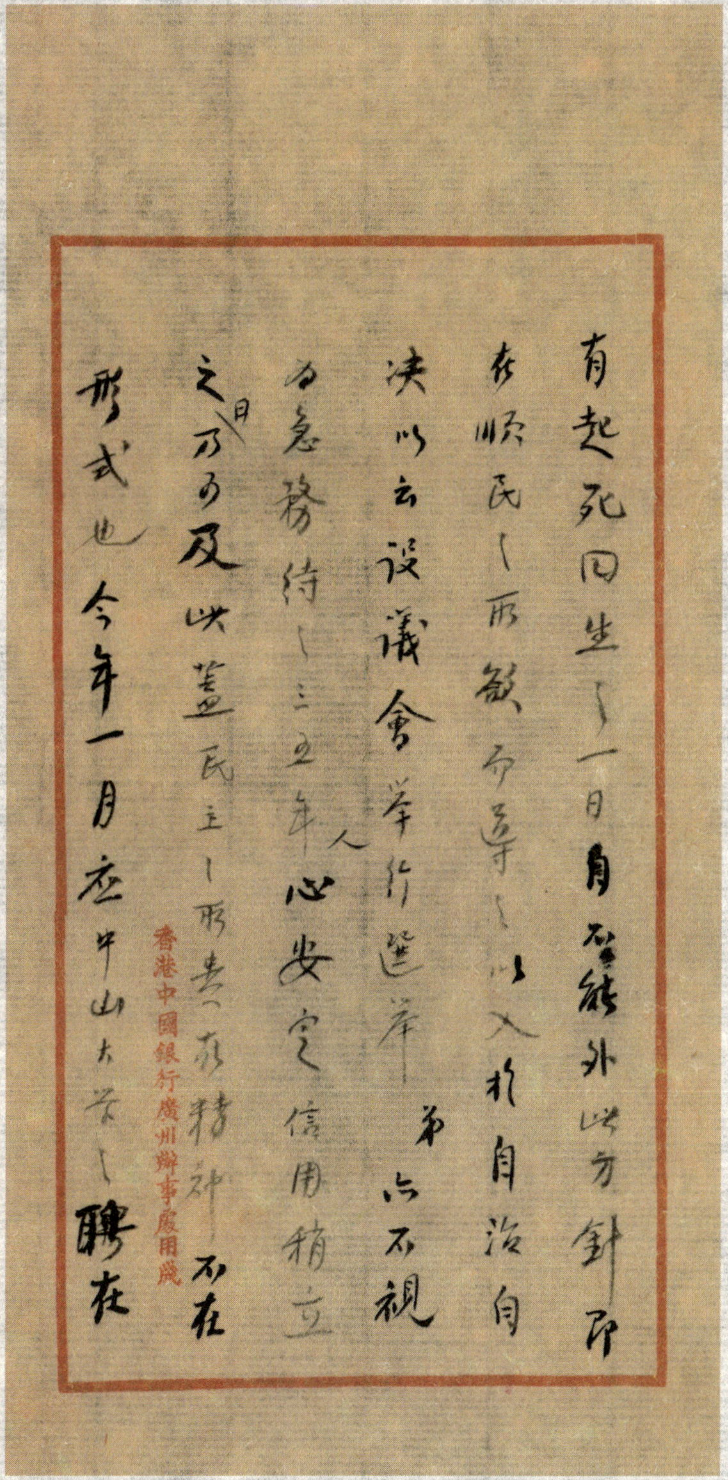

有起死回生之一日 自不能外此方針 即
在順民之所欲 而導之以入於自治 自
決 以言設議會 舉行選舉 弟亦不視
爲急務 待之三五年 人心安定 信用稍立
之日 乃可及此 蓋民主之形者在精神 不在
形式也 今年一月應中山大學之聘 在

香港中國銀行廣州辦事處用箋

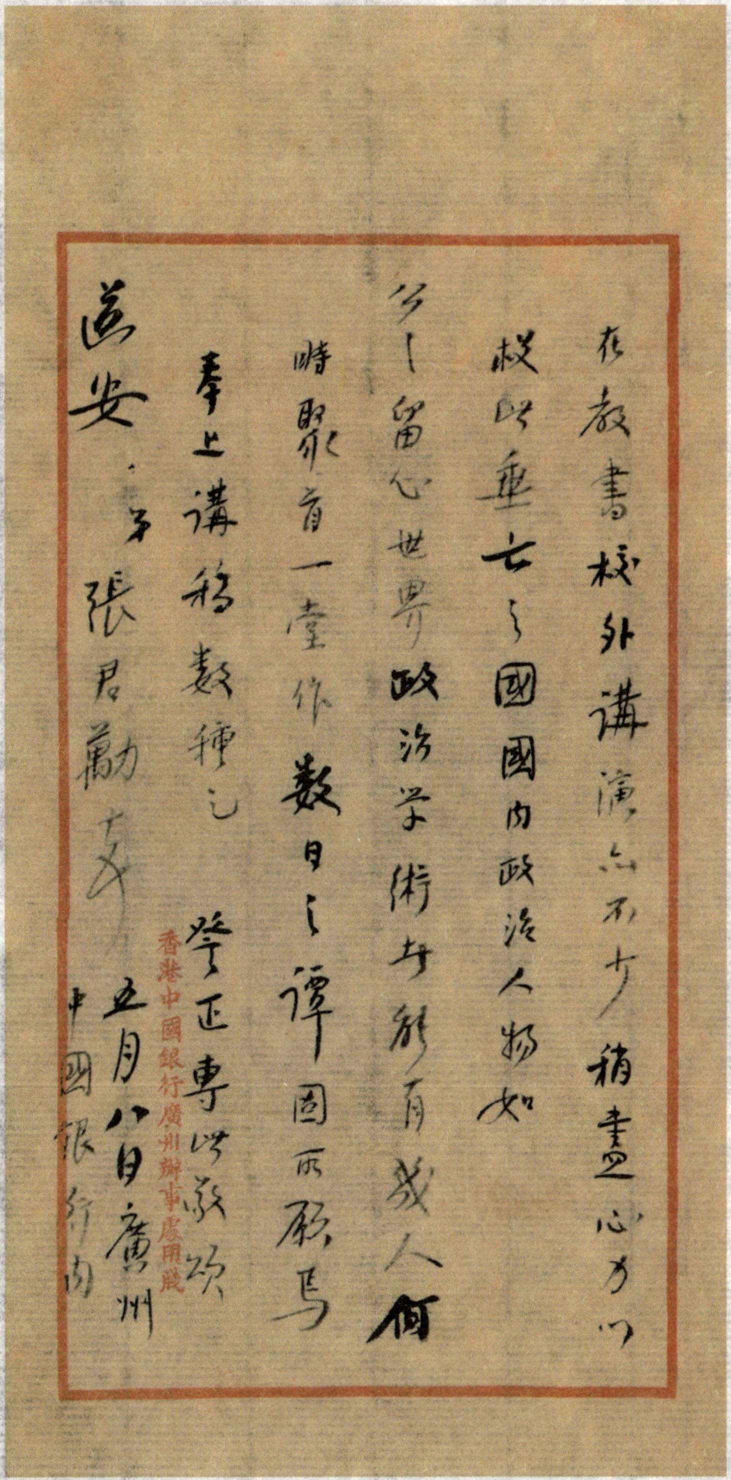

在敎書 校外講演亦不少 稍盡心力 以
救吾垂亡之國 國內政治人物 如
公之留心世界政治學術而能有成就者 何
時聚首一堂 作數日之譚 固所願焉
奉上講稿數種 乞 賜正 專此敬頌
道安 弟 張君勱 上 五月八日 廣州
中國銀行內

香港中國銀行廣州辦事處用箋

韓國鈞朋僚墨迹

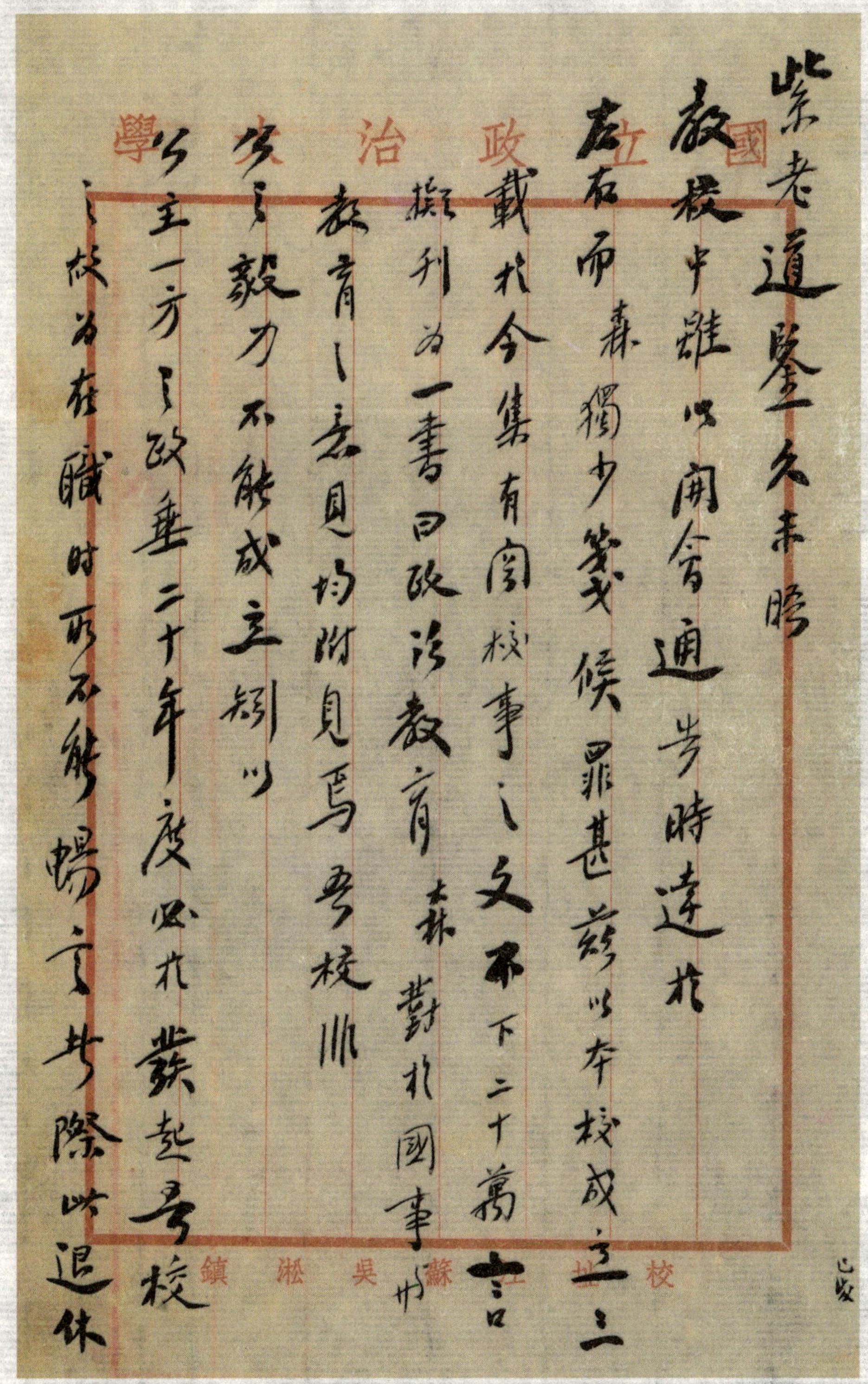

國立政治大學

紫老道鑒：久未晤
教，校中雖以開會通告時達於
左右，而森獨少箋候，罪甚。茲以本校成立三
載，於今集有関校事之文不下二十萬言，
擬刊為一書，曰政治教育。森對於國事
教育之意見均附見焉。吾校非
公之毅力不能成立，竊以
公主一方之政垂二十年，度必於蘇起吾校
之故，為在職時所不能暢言者，際此退休

校址吳淞鎮

已發

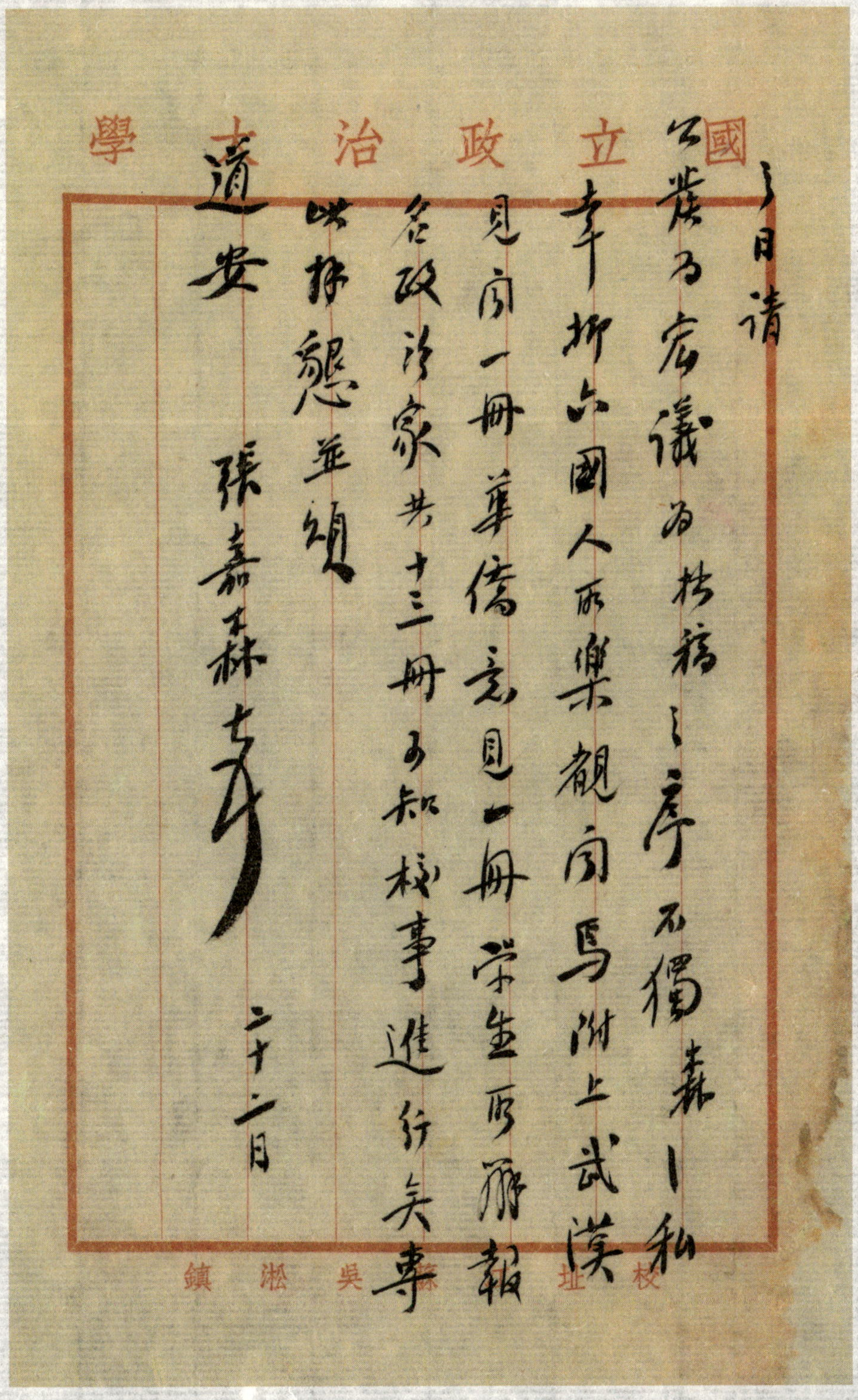

國立政治大學

之日，請
公發為宏議，為拙稿之序，不獨森一私
幸，抑亦國人所樂觀聞焉。附上武漢
見聞一冊，華僑意見一冊，學生所辦報
各政治家共十三冊，可知校事進行矣。專
此拜懇，並頌
道安
張嘉森上
二十二日

校址吳淞鎮

華國[illegible]開[illegible]書[illegible]

[illegible]

[illegible]

賈士毅（一八八七－一九六五）江蘇宜興人，金融專家，曾任國民政府財政部常務次長兼賦稅司司長、江蘇省政府委員兼財政廳廳長、《財政評論》社社長。

紫老省長崇鑒過寧晋謁備聆
訓誨欽感無似一昨乘車北上抵京後詢諸友人僉謂時事之
最急者莫若大選問題惟各方意見仍未一致謹將大概情形
條陳
清聽洛陽主張俟雙十節國會如未選出總統各省即行電推
曹巡帥入都為臨時總統主持國務一面依照舊法改選國會
保定分為兩派天津一派不主與南下議員協商擬籌足經費
派人游說中立分子及覺悟之議員正式舉行大選吴議長及邊
系要人屬之保派主與南下議員及中立分子協商並於最小限度以
內聲明從前黃陂出都軍警應付失宜與夫速議憲法等項

藉以敷衍南下議員之顏面以期湊足人數張副議長及保系要人屬
之此外尚有政團研究系主張於攝政期滿時由國務院咨請國會以曹
巡帥為總理攝理國務俟國會議決後在此期內一面催國會完
成憲法一面集合南北各派開和平會議圖於軍政財政以及統一之法均
於是會決定之迨至憲法告成統一已有端倪國會論功之道亦當
推舉曹巡帥為正式總統此外尚有主張在京議員與南下議員兩
持意見既有差池最好請 撫帥出而斡旋在甯開會先議憲法
後舉總統一面京中仍以攝政維持現狀又有主張北京國會派員
與南下議員協商專議憲法會議地點改在天津憲法告成再行正
式推舉 總統此各派對於大選之意見所可慮者微論各政團主
張紛歧即保定方面津保洛各派亦尚未能一致凡選舉一事尤在統一部

錢基厚（一八八七—一九七五）江蘇無錫人，曾任無錫教育會會長、無錫縣商會主席、無錫第三中學校長，參與創辦《無錫新報》，抗戰時期從事抗日後援工作，解放後任省政協副主席、全國人大代表。

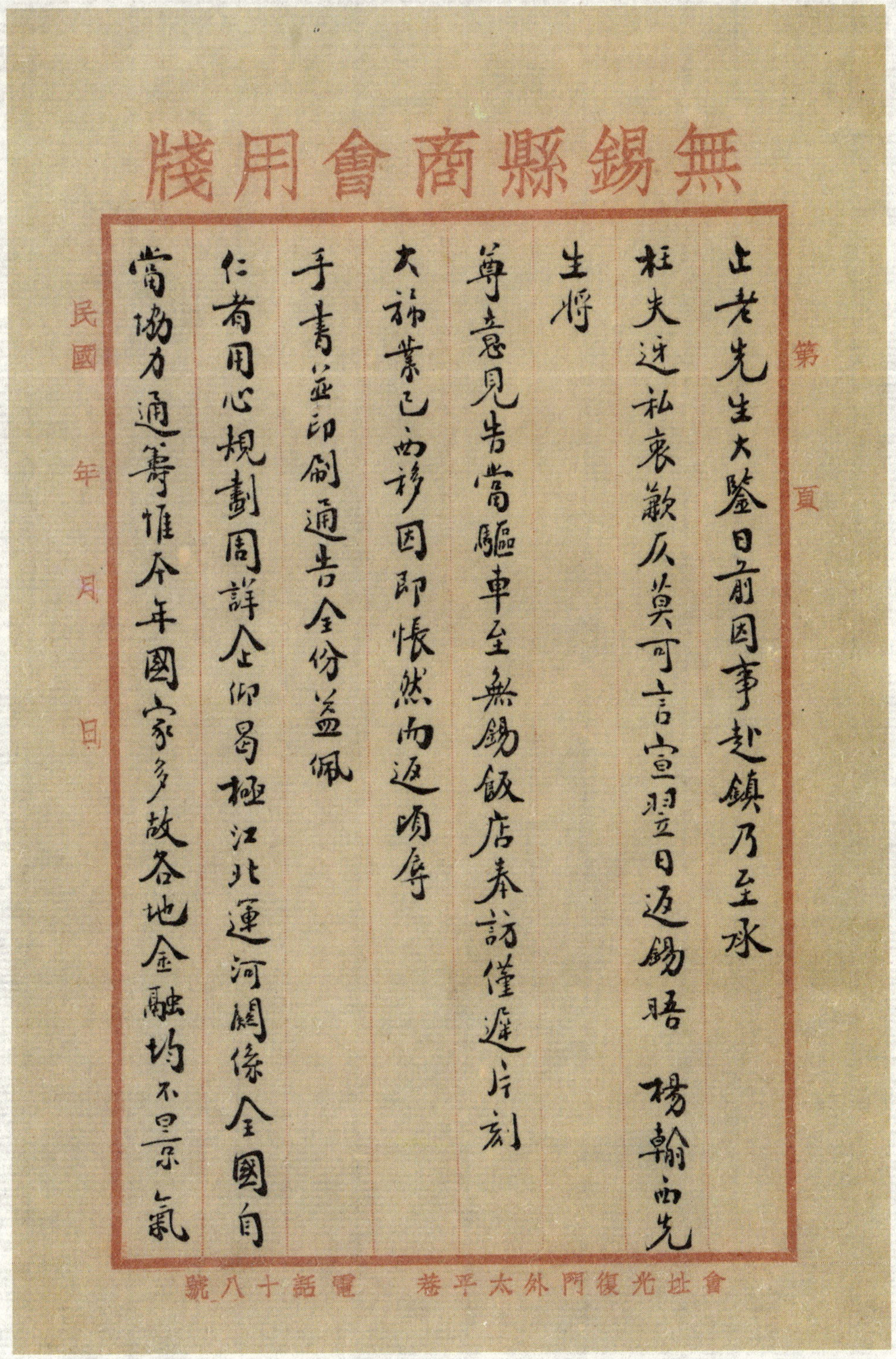

無錫縣商會用牋

第　頁

止老先生大鑒：日前因事赴鎮，乃至承
枉失迓，私衷歉仄莫可言宣。翌日返錫，晤　楊翰西先
生，將
尊意見告，當驅車至無錫飯店奉訪，僅遲片刻，
大旆業已西移，因即悵然而返。頃辱
手書並印刷通告全份，益佩
仁者用心規劃周詳，企仰曷極。江北運河關係全國，自
當協力通籌。惟今年國家多故，各地金融均不景氣

民國　年　月　日

會址光復門外太平巷　電話十八號

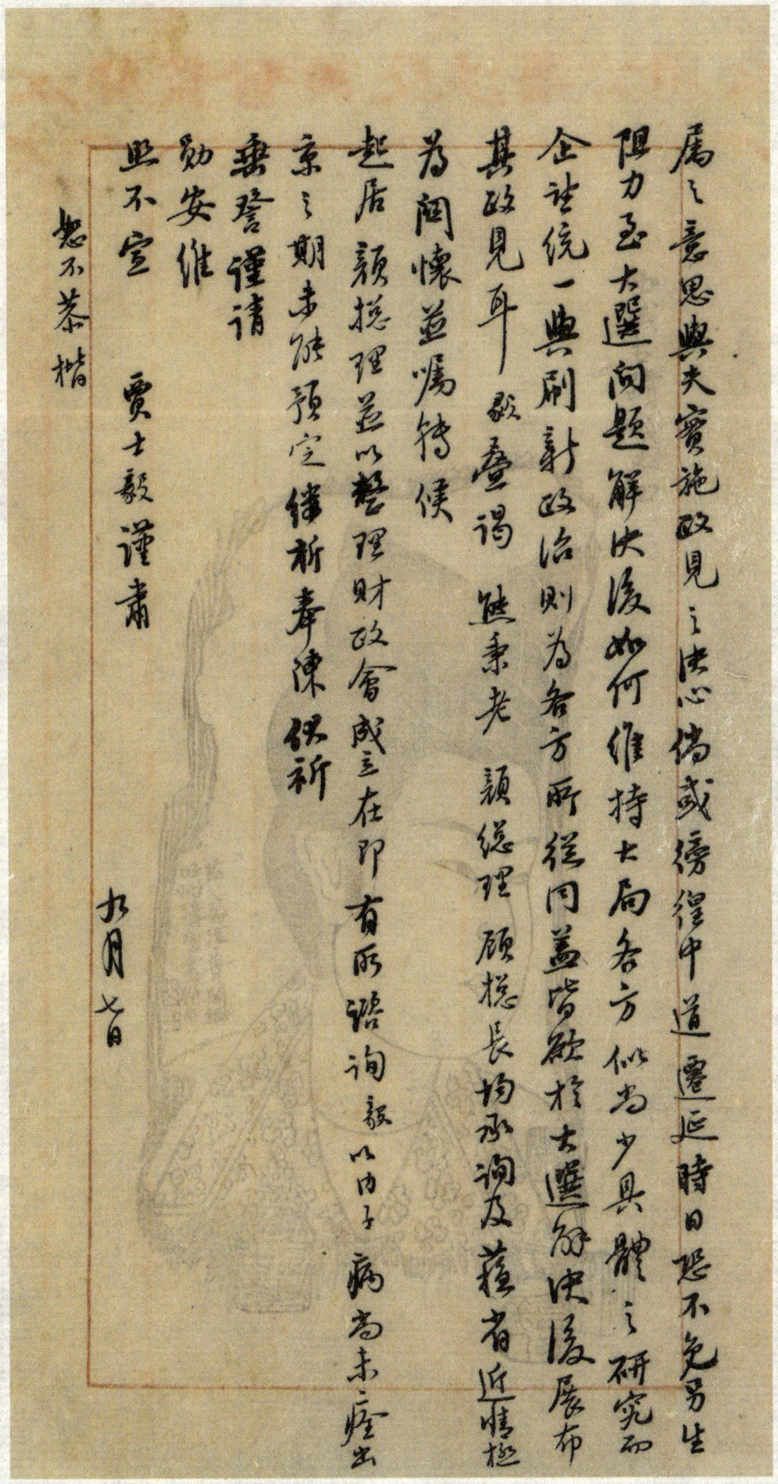

屬之意思與夫實施政見之決心，倘或徬徨中道，遷延時日，恐不免另生
阻力。至大選問題解決後，如何維持大局，各方似尚少具體之研究，而
企望統一與刷新政治，則為各方所從同，益當殷於大選解決後，展布
其政見耳。毅叠謁　熊秉老、　顏總理、顧總長，均承詢及蘇省近情，極
為關懷，並囑轉候
起居。顏總理並以整理財政會成立在即，有所諮詢，毅以內子病尚未痊，出
京之期未能預定，佇祈奉陳，祇祈
垂詧。謹請
勛安，惟
照不宣。
賈士毅謹肅
九月廿日
恕不恭楷

韓國鈞朋僚墨迹

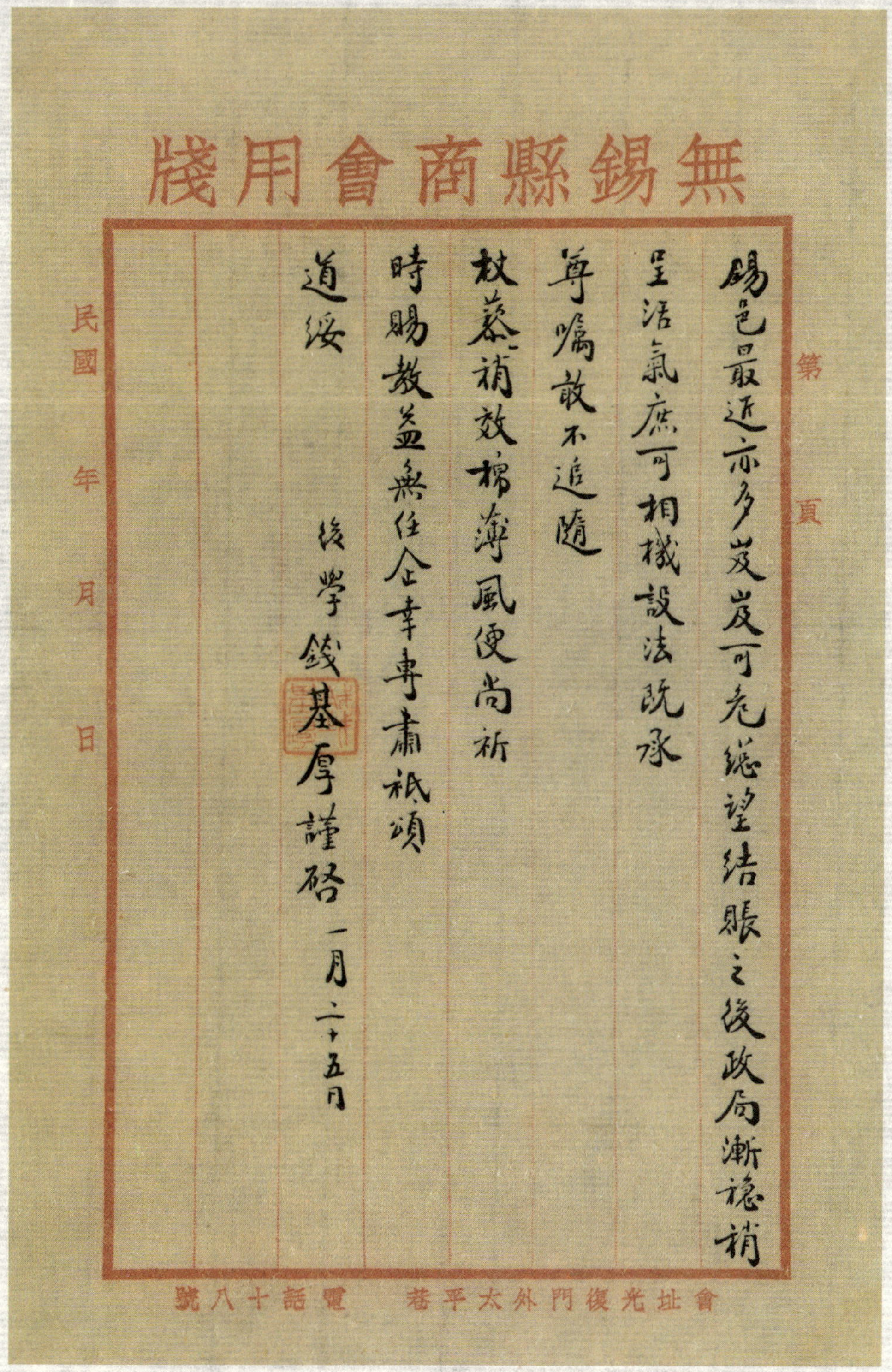
無錫縣商會用牋

第 頁

錫邑最近亦多岌岌可危，總望結賬之後政局漸穩，稍
呈活氣，庶可相機設法，既承
尊囑，敢不追隨
杖蔡，稍效棉薄。風便尚祈
時賜教益，無任企幸。專肅，祗頌
道綏
後學錢基厚謹啓 一月二十五日

民國 年 月 日

會址光復門外太平巷 電話十八號

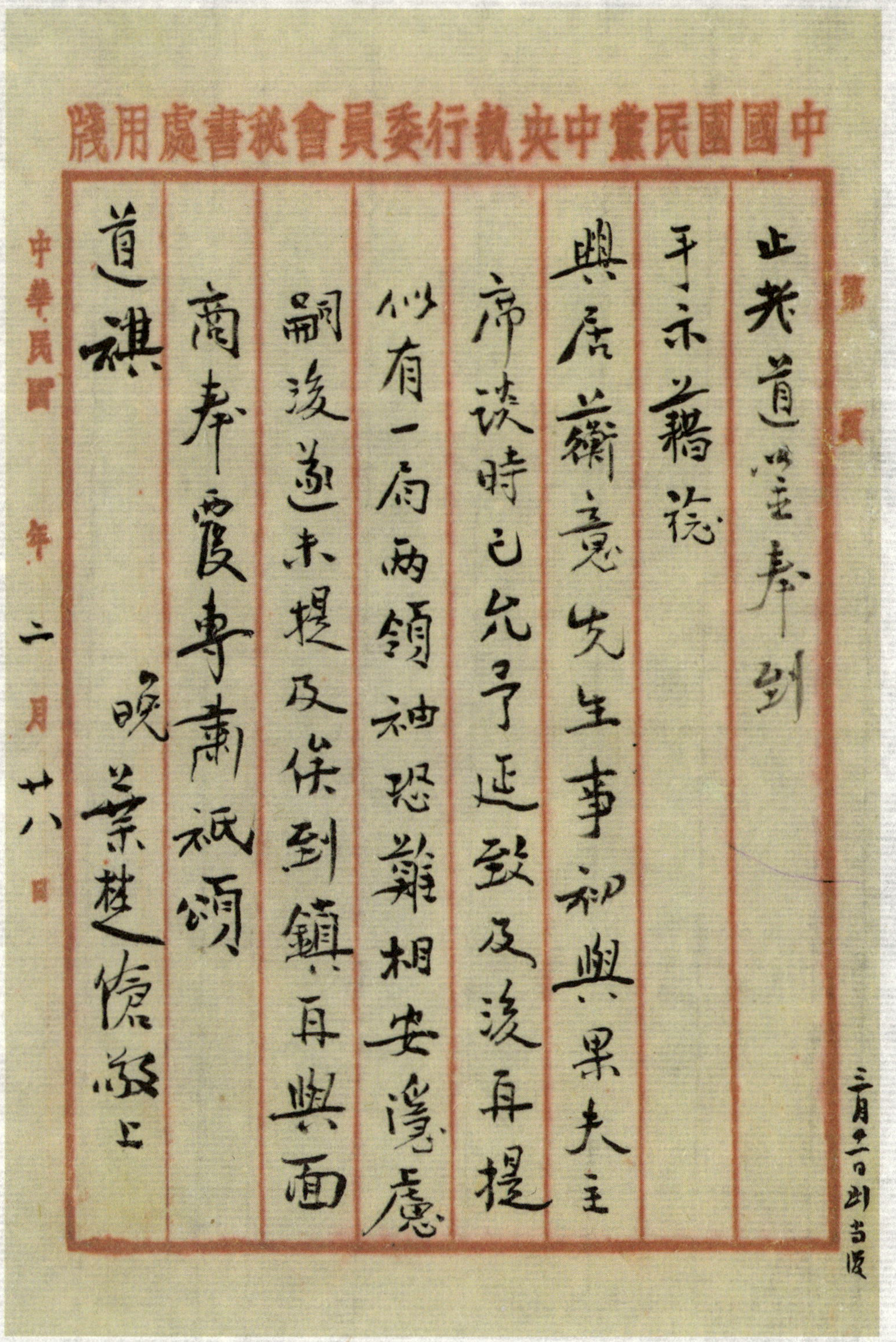
中國國民黨中央執行委員會秘書處用牋

第 頁

止老道鑒：奉到
手示，藉悉
興居。蘇意先生事，初與果夫主
席談時已允予延致，及後再提
似有一兩領袖恐難相安，慮
嗣後遂未提及，俟到鎮再與面
商。奉覆，專肅，祗頌
道祺
晚葉楚傖上

中華民國 年 二月 廿八 日

三月十一日到 吉復

葉楚傖（一八八七—一九四六）江蘇吴江人，曾任江蘇省政府主席、行政院副院長、國民黨中執委、常務委員。

名人手札

名人手札

韓國鈞朋僚墨迹

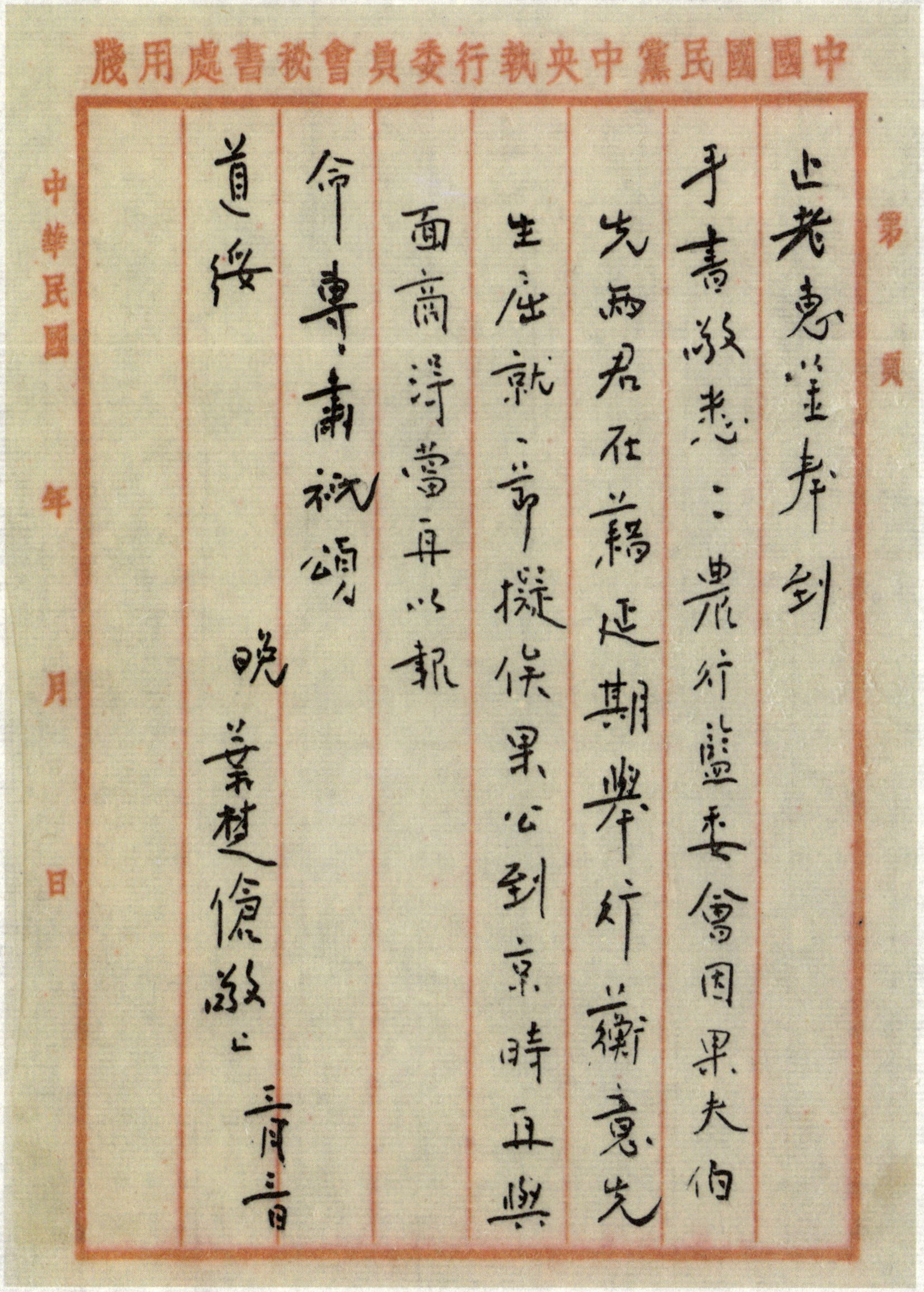

中國國民黨中央執行委員會秘書處用箋

止老惠鑒：奉到
手書，敬悉一一。農行監委會因果夫伯
先兩君在籍延期舉行，蘅意先
生應就一節，擬俟果公到京時再與
面商，得當再以報
命。專肅，祗頌
道綏
晚 葉楚傖敬上 三月三日

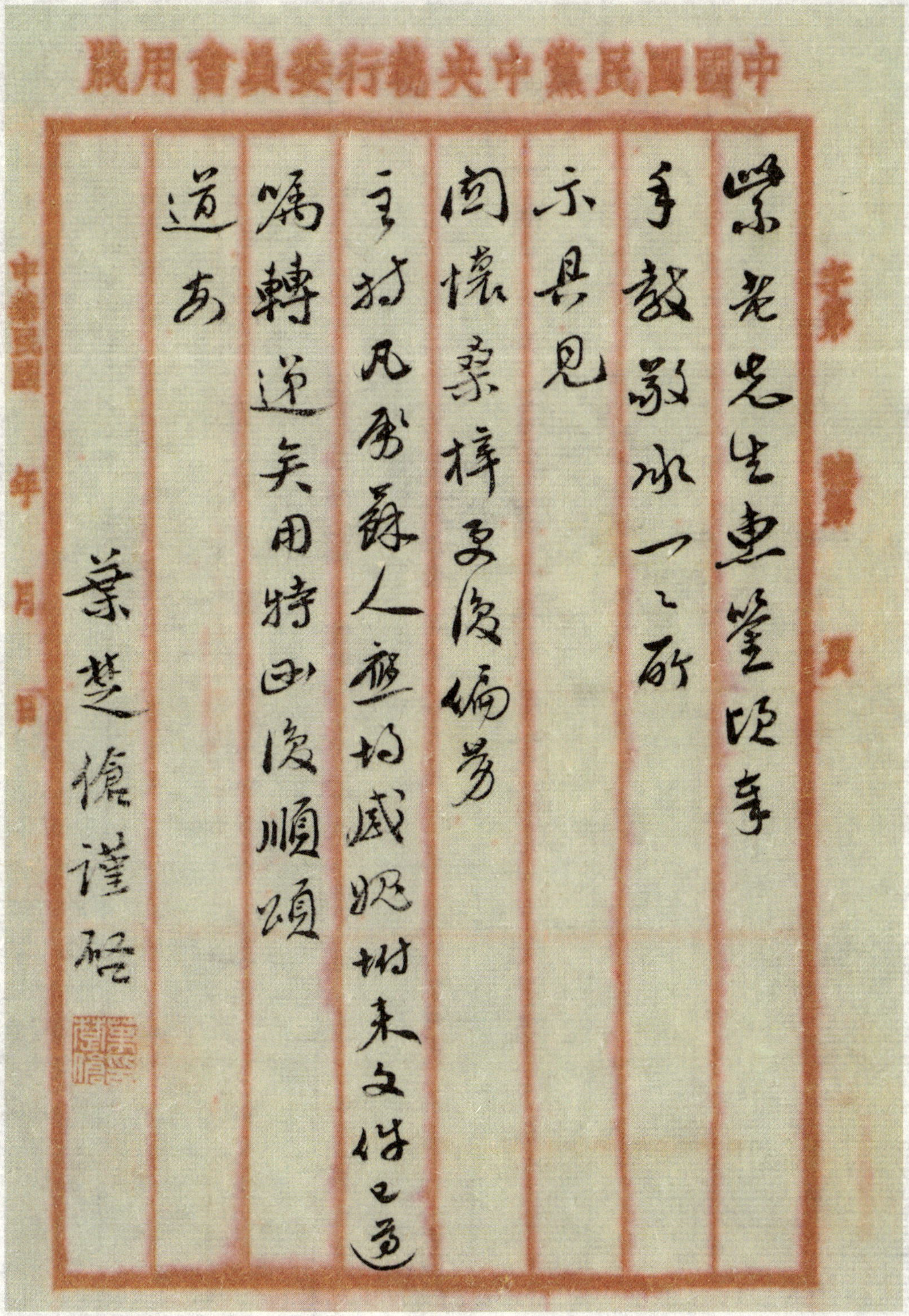

中國國民黨中央執行委員會用箋

紫老先生惠鑒：頃奉
手教，敬承一一。所
示具見
關懷桑梓，至深佩勞
主持，凡屬蘇人，應均感戴。附來文件已遵
囑轉送矣。用特函復，順頌
道安
葉楚傖謹啓

王柏齡（一八八九—一九四二）江蘇揚州人，曾任黃埔軍校代理教育長、江蘇省建設廳長、國民黨中執委、立法院立法執委。

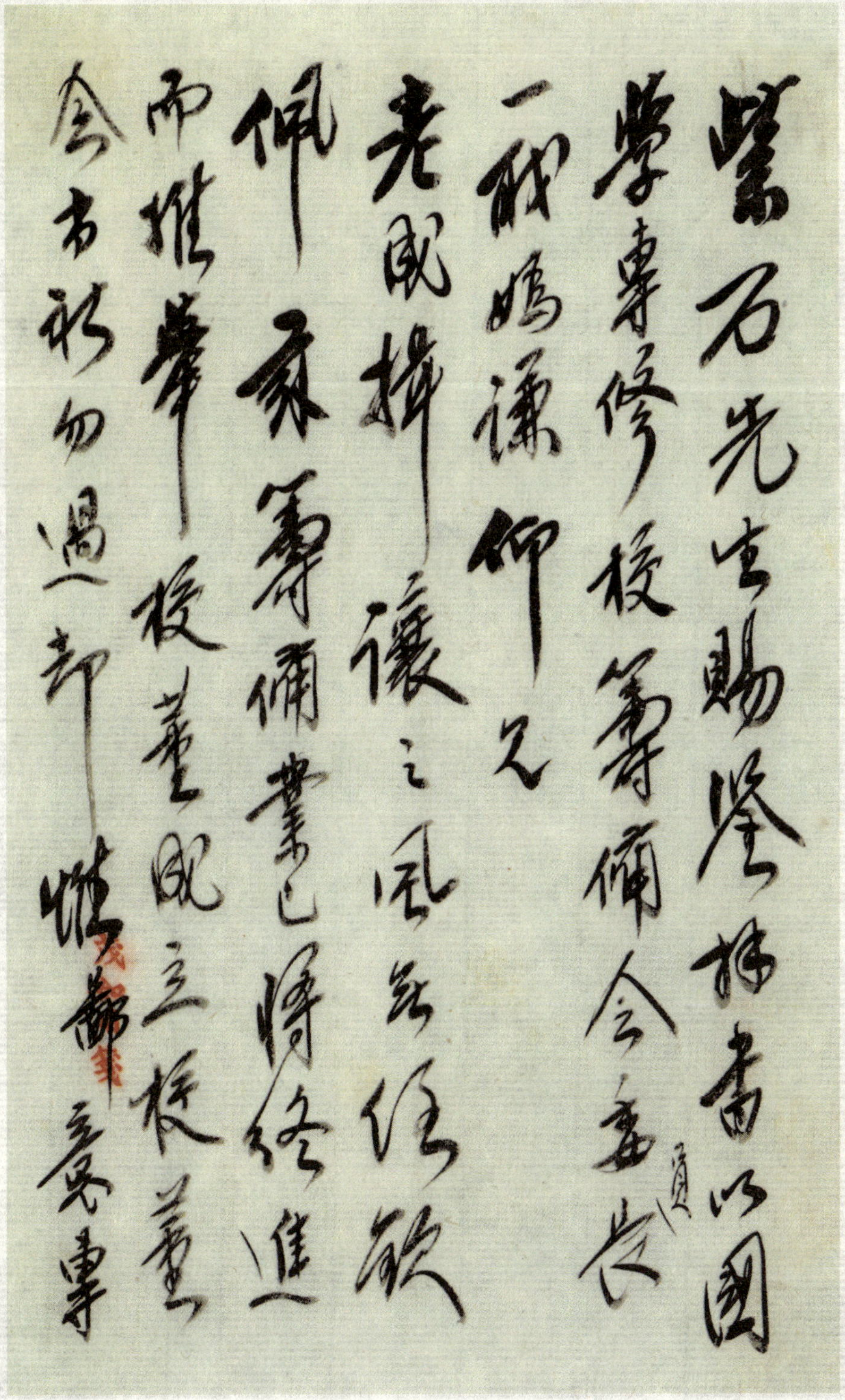

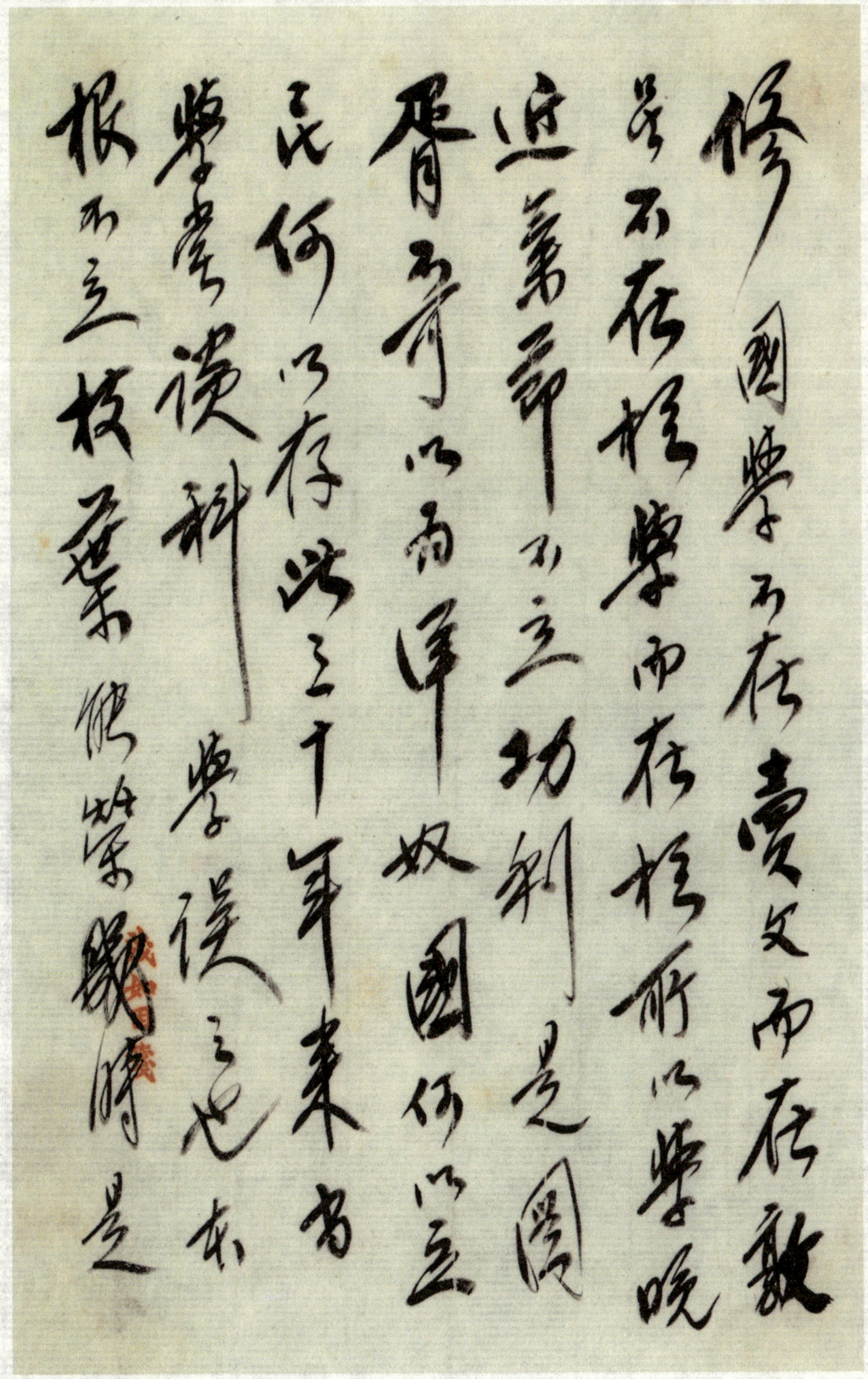

[illegible]

韓國鈞朋僚墨迹

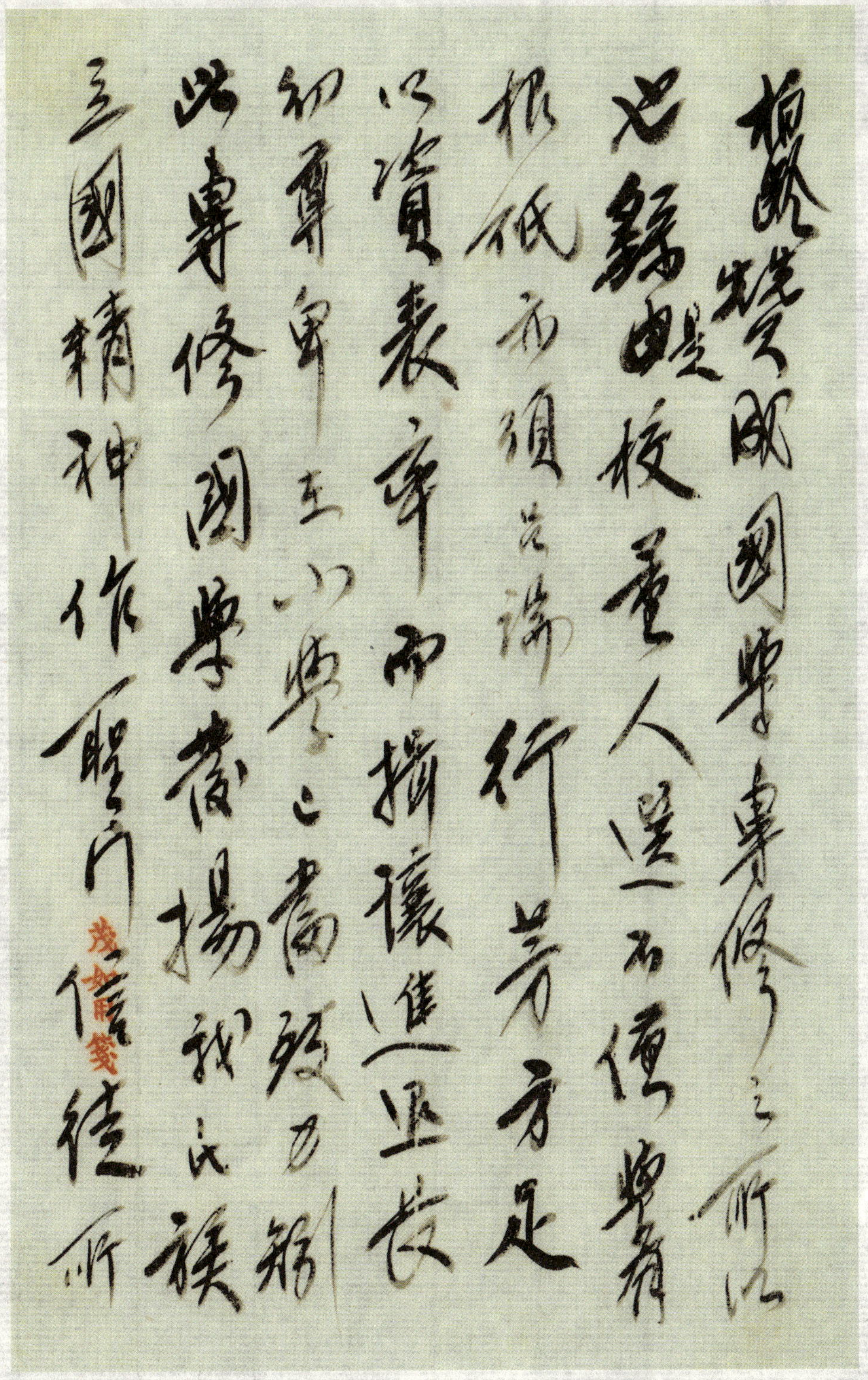

損於先賢所國學專修之所以
也錫山是校董人選不便與聞
根柢而須先端行芳方足
以資表率而揖讓進退長
初尊翁在以學之高致力翰
此專修國學發揚我民族
之國精神作醒門信徒所

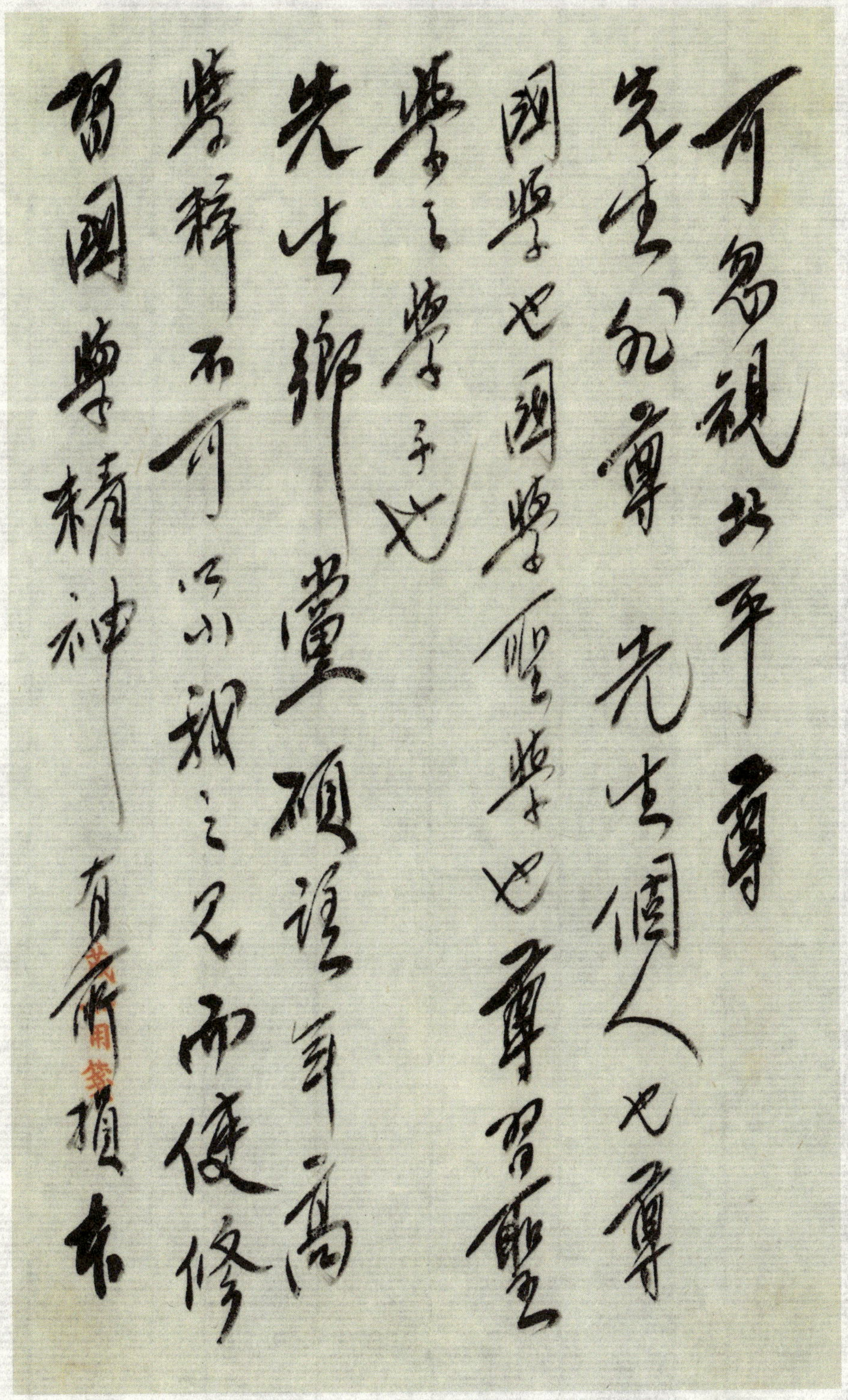

可忽視北平尊
先生兒尊 先生個人也尊
國學也國學聖學也尊習聖
學之學乎也
先生鄉黨碩德年高
學釋不可以示報之又而使修
習國學精神 有貞頓首

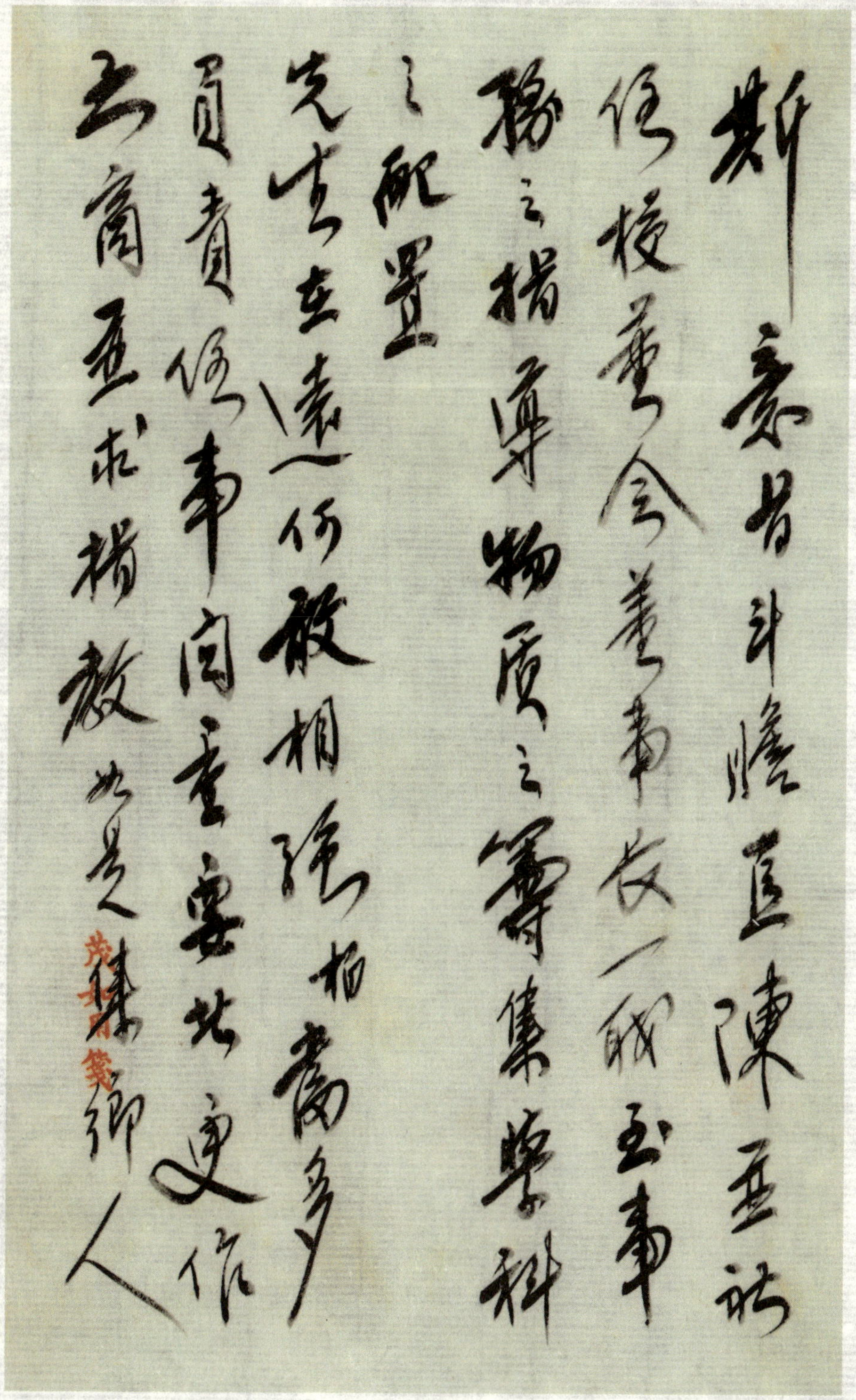
斯意昔斗膽直陳並祈
俯採葦今姜事成一戰至事
務之指導物質之籌集與料
之配置
先生在遠何敢相強，但當多
負責任事關重要，若更作
之商並求指教也。是之 卿人

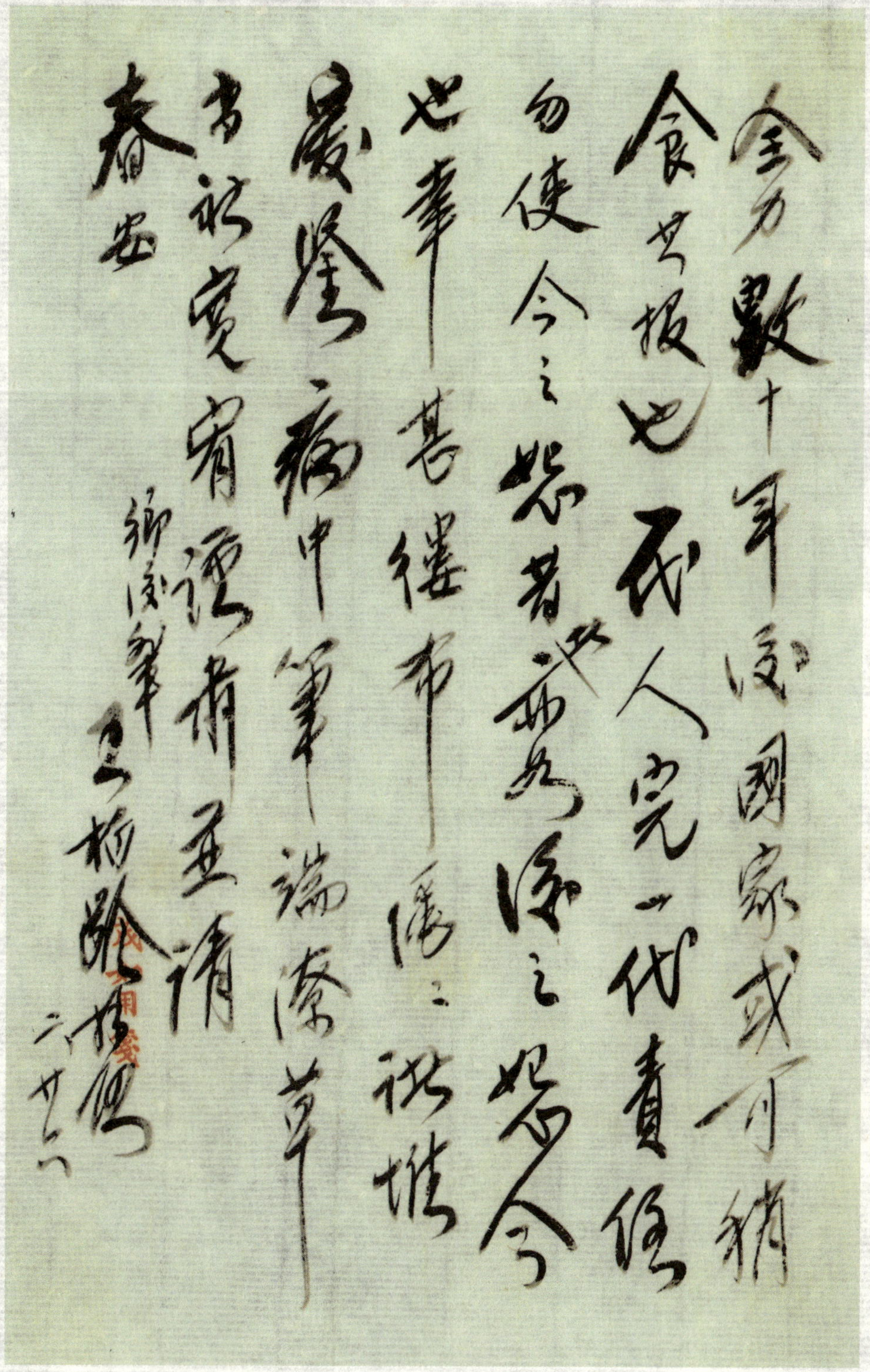
全力數十年後國家或可稍
食其報也。至人完一代責任
而使今之紫若孫之子孫今
也。事甚繁，布陳之誡
屢煩稿中華端涤草
書祈寬宥。順頌並請
春安
卿復兄
頓首
二、廿六

包明叔（一八九一—一九七四）江蘇儀徵人，曾創辦鎮江女子蠶桑職業學校、協和蠶種場、《新江蘇報》，任江蘇省參議員。

新江蘇報

止老賜鑒：萬全樓匆匆受
教，記載錯誤，致勞更正，惶恐萬分。蠶絲品統
計表因上月赴京，請頤霞議出版法編排，稽延
尤為抱歉。茲附上樣子一紙，乞
斧正賜覆，以便付印為荷。專肅祗請
秋安
愚姪 包明叔謹啓 九月日

鎮江伯先路六十號
電報掛號「五六八五一」（蘇）
普通電話一百〇三號
自動電話八〇號

新江蘇報

茲將統計表內容各点奉商如次：

(一)大公報分載蠶絲品為兩大類，(甲)為裝飾品，(乙)為飲食品。本表所載為(甲)類，故題目將裝飾品揭出。

(二)裝飾品中分四目：(一)香水脂粉，(二)化粧品，(三)花邊，(四)真假手飾。
閣下抄稿中列裝飾品為第一項，與原報不符（原報裝飾品甲項總目）。

(三)第二項化裝品與第一項香水脂粉有何分別，原報未說明，且化裝品其包括物品名稱，不知原報是否有誤。

(四)數目字原報錯誤甚多，請 霞孫

鎮江伯先路六十號
電報掛號「五六八五一」（蘇）
普通電話一百〇三號
自動電話八〇號

李明揚（一八九一—一九七八）安徽蕭縣人，民國年間曾任江蘇省政府委員兼保安處處長，抗戰時期任第五戰區游擊總指揮，解放後任全國政協委員、人大代表。

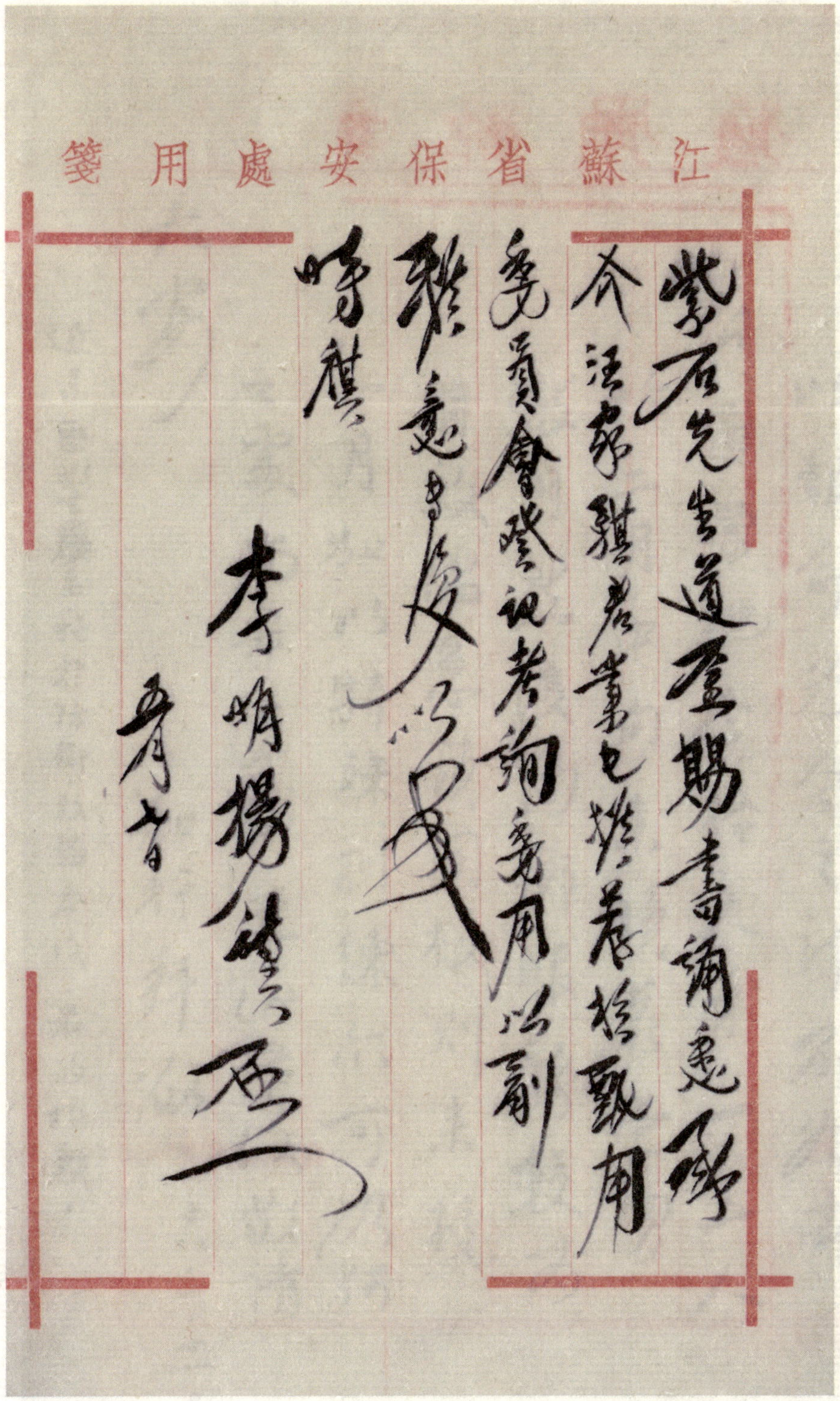
江蘇省保安處用箋

紫石先生道鑒：賜書誦悉。承
介汪家驥君，業已擬着於甄用，
[illegible]會發現者詢[illegible]用以副
雅意。專此復，以頌
時祺
李明揚謹啟
五月廿日

陶行知（一八九一—一九四六）曾名知行，安徽歙縣人。著名教育思想家，曾任南京高等師範學校教務主任、中華教育改進社總幹事，創辦曉莊學校、生活教育社、山海工學團、育才學校和社會大學，積極抗日救亡，參與發起成立中國民主政团同盟。

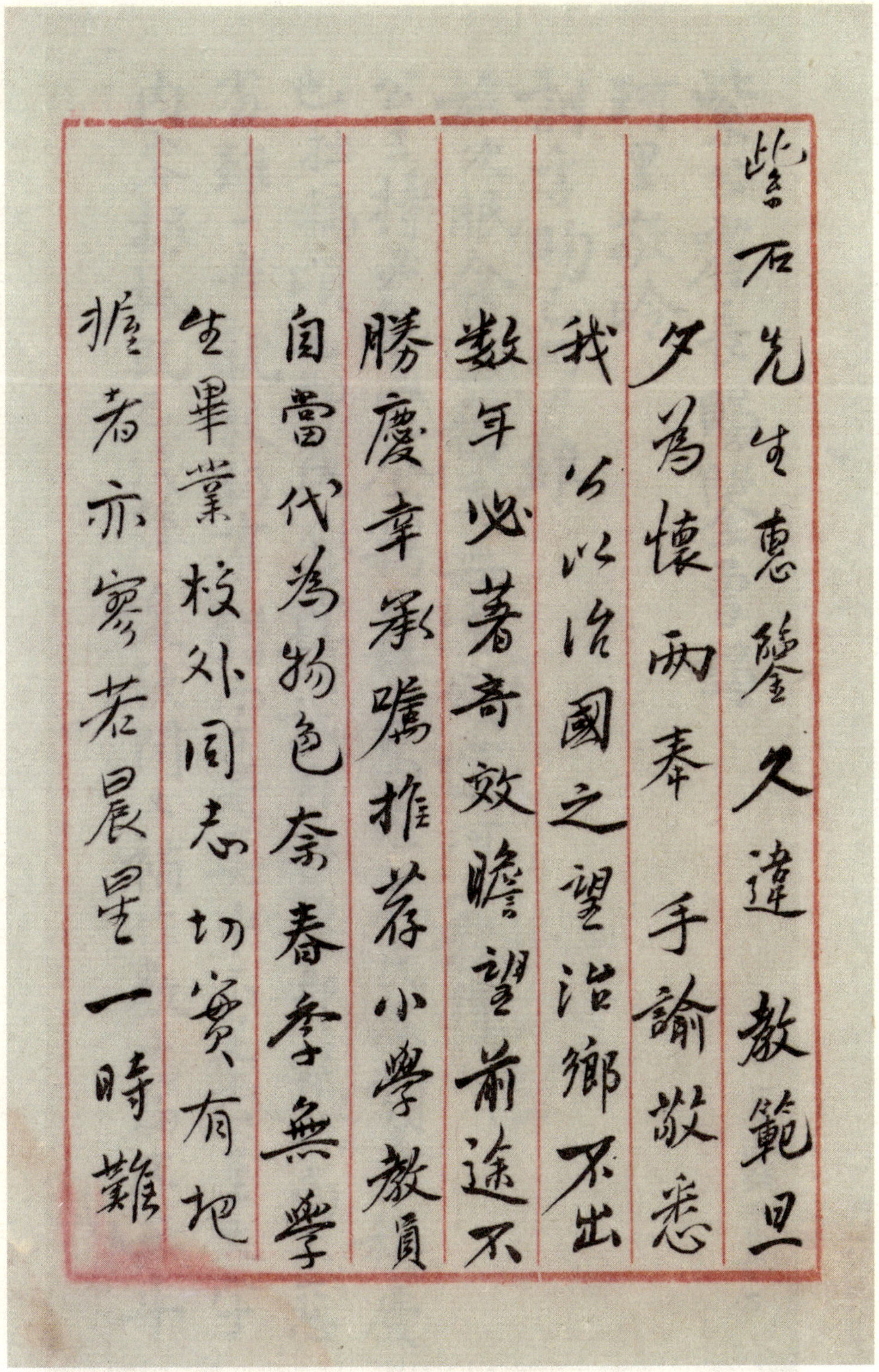
紫石先生惠鑒：久違教範，旦
夕為懷。兩奉手諭，敬悉
我公以治國之望治鄉，不出
數年必著奇效，瞻望前途，不
勝慶幸。劉[illegible]推薦小學教員，
自當代為物色。奈春季無學
生畢業，校外同志切實有把
握者亦寥若晨星，一時難

韓國鈞朋僚墨迹

意之作奉寄就
正尚乞
老斲輪為我一運郢斤也庶續印時有所遵循茲
共寄上十部計廿本備為分贈名賢冀受攻錯之益藉
廣嚶鳴之意又讀者孝忱閑居累歲事當酬酢之
費歲達千金僅有已成沙田二十畝歲入不敷甚巨雖賴
戚友扶持而債臺高築矣平時又恪守舊道德不與
世俗一切事故以言賣文粥字而人心擾攘不尚有舊

終歲收入不過百金長此賦閒必難為繼再承
慨為推轂乃為時局所阻事雖未成極感
盛意今者窘況益甚又萬難再閒徒以迫在舊歷
年關不得不彌縫夙負未能親至
左右面陳衷曲幸
公知我極深愛我極摯仍乞速為援手以蘇涸轍
敢布腹心敬候
明教如有機遇當即趨前肅啟
崇安 門下士宗孝忱百拜 十二月十日
附履歷弍分外書另以包裹寄奉

蘇炳文（一八九二—一九七五）遼寧新民人，早年在東北從事軍政活動，曾組織東北民衆救國軍，抗擊日軍，後任國民政府軍事委員會委員，解放後任全國政協委員。

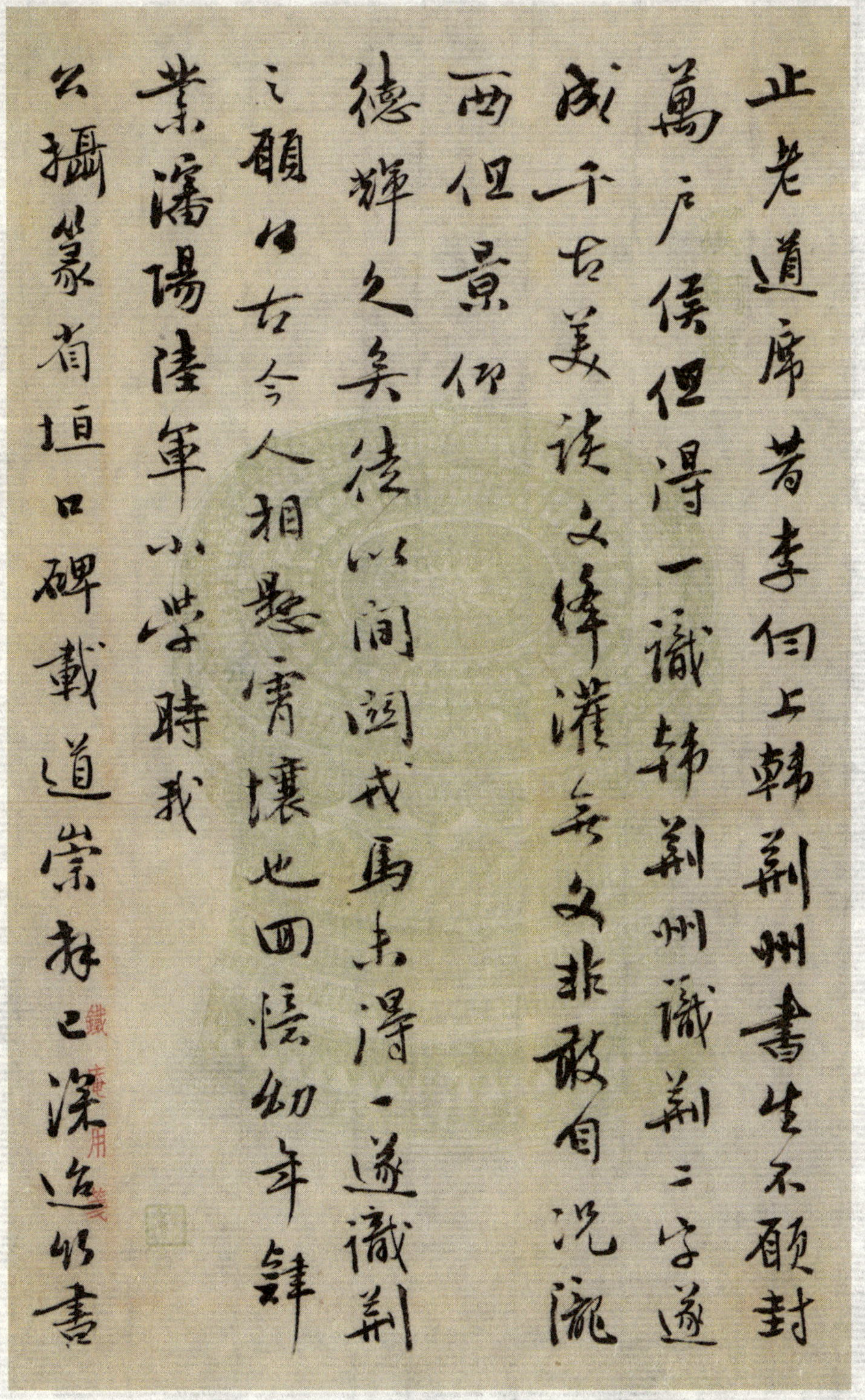
止老道席 昔李白上韓荊州書生不願封
萬戶侯但得一識韓荊州之字遂
成千古美談文律灑奐文非敢自況
而但景仰
德輝久矣徒以關山阻隔未得一遂識荊
之願蓋古今人相慕胥懷也回憶幼年肄
業維揚陸軍小學時我
公攝篆甫垣口碑載道崇拜已深迨以書

韓國鈞朋僚墨迹

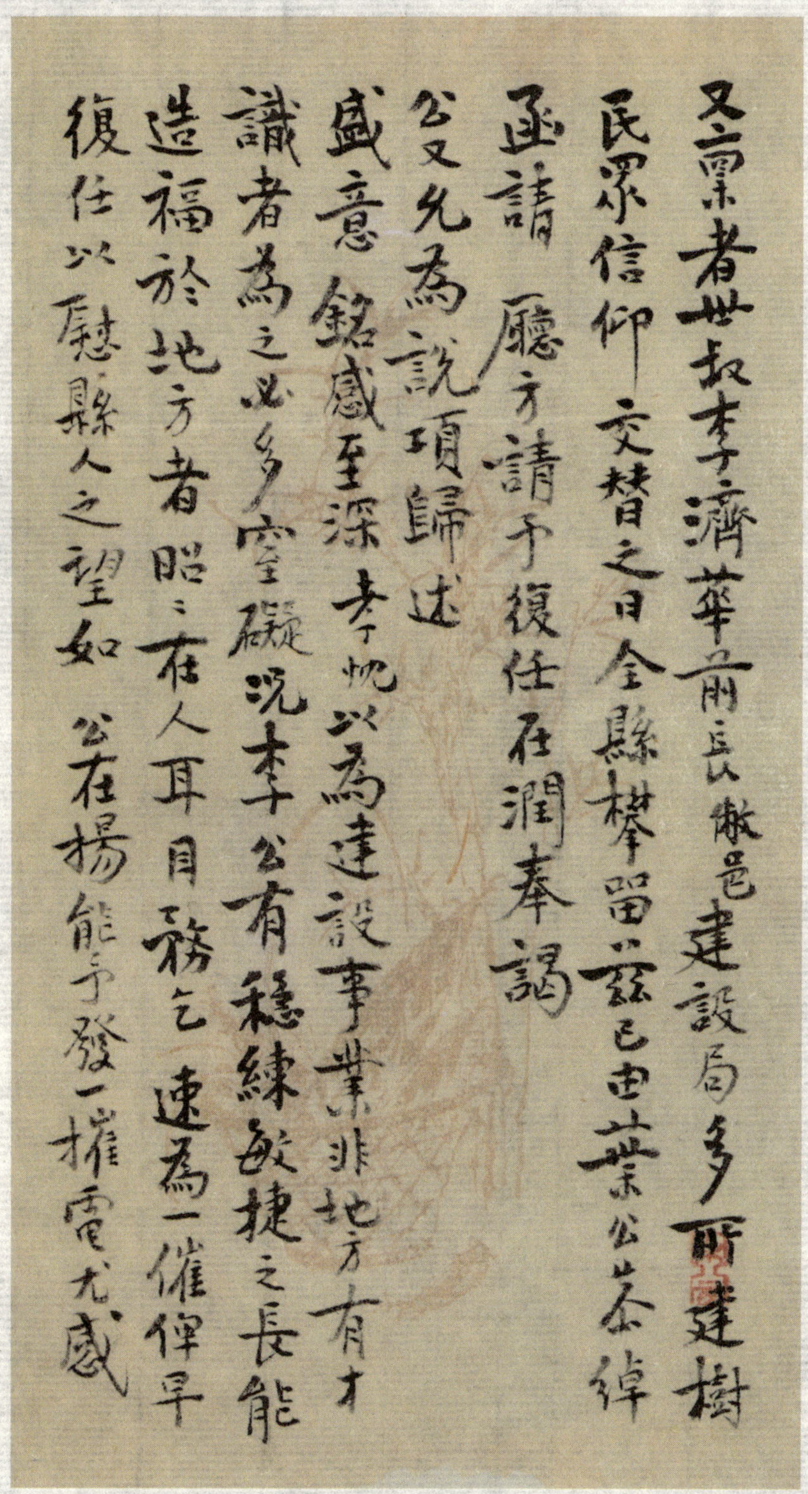
又稟者世叔李濟華前長敝邑建設局多所建樹
民衆信仰 交替之日全縣攀留茲已由士紳公呈韓
函請 廳方請予復任在潤奉謁
公又允為說項歸述
盛意銘感至深 李恍以為建設事業非地方有才
識者為之必多窒礙況李公有穩練敏捷之長能
造福於地方者昭昭在人耳目務乞速為一催俾早
復任以慰縣人之望如 公在揚能予發一權電尤感

秘書出閩幕中每晚時爲述治蘇政績益增葵向之忱深以不能趨近左右藉聆麈教爲憾九一八事變後文方警備邊隅守土有責未廿屆節兩年血戰孤立無援物窮力竭失地蒙羞退入蘇聯迫非得已去夏繞海歸國萬目時艱痛心已極感於身體衰弱暫息吳門一年來以京蘇往返徒勞新遷白下

鐵庵用箋

竊人身世不堪一述茲公垂愛敢略陳之李澍光先生轉到法書更蒙加惠書咸南塘詩立幅蓬戶傳觀爭稱瓌寶南塘一戰而寒賊膽勛業千秋文有其志而無其才孜孜遂其願終身引爲不幸事也他日有機殺賊決志馳驅沙場苟利於國生死不惜而副

鐵庵用箋

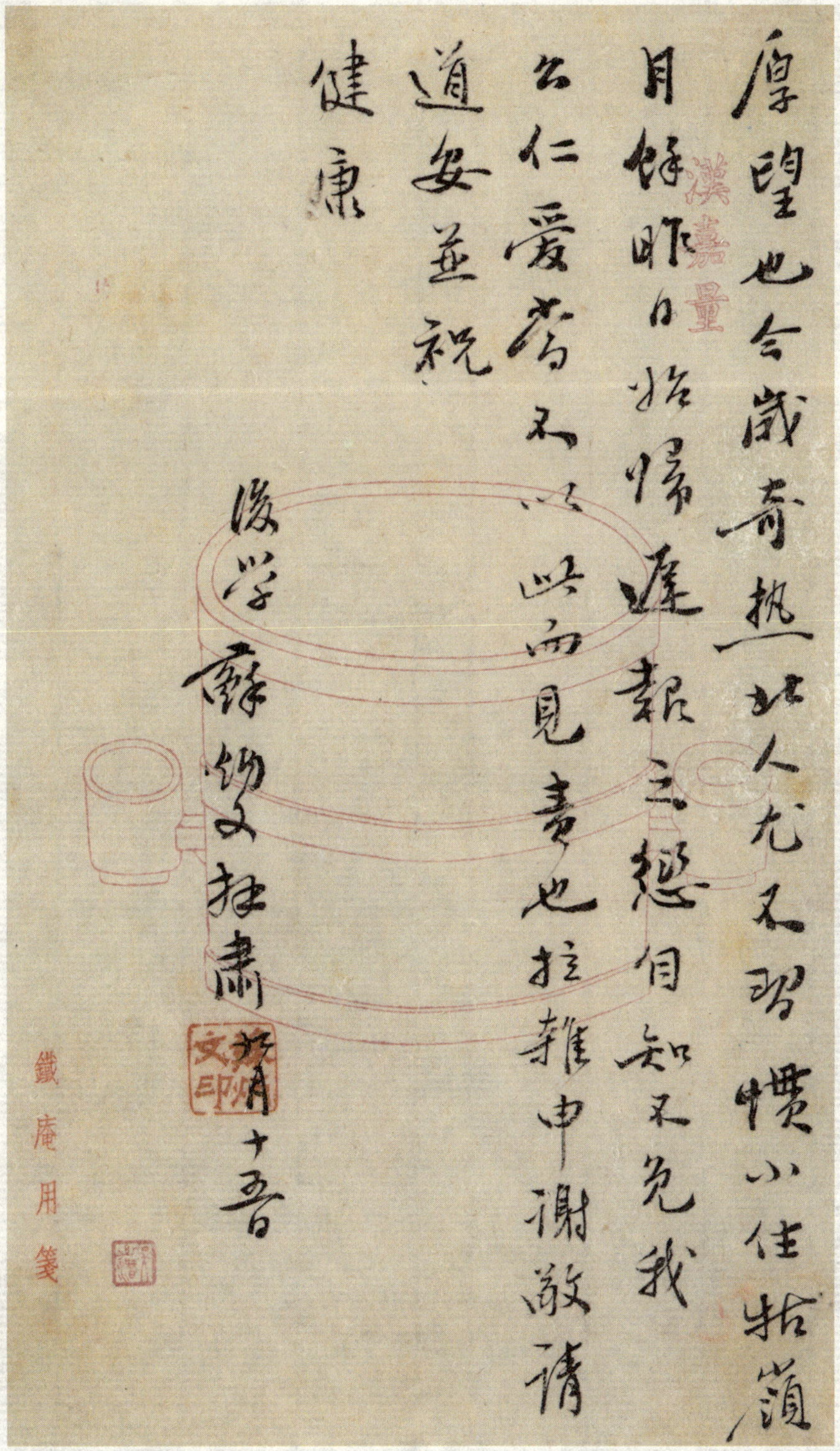

厚望也。今歲奇熱，北人尤不習慣，小住牯嶺
月餘，昨日始歸，遲報之愆，自知不免，我
公仁愛，當不以此而見責也。拉雜申謝，敬請
道安，並祝
健康
後学薛篤文拜肅 八月十五日

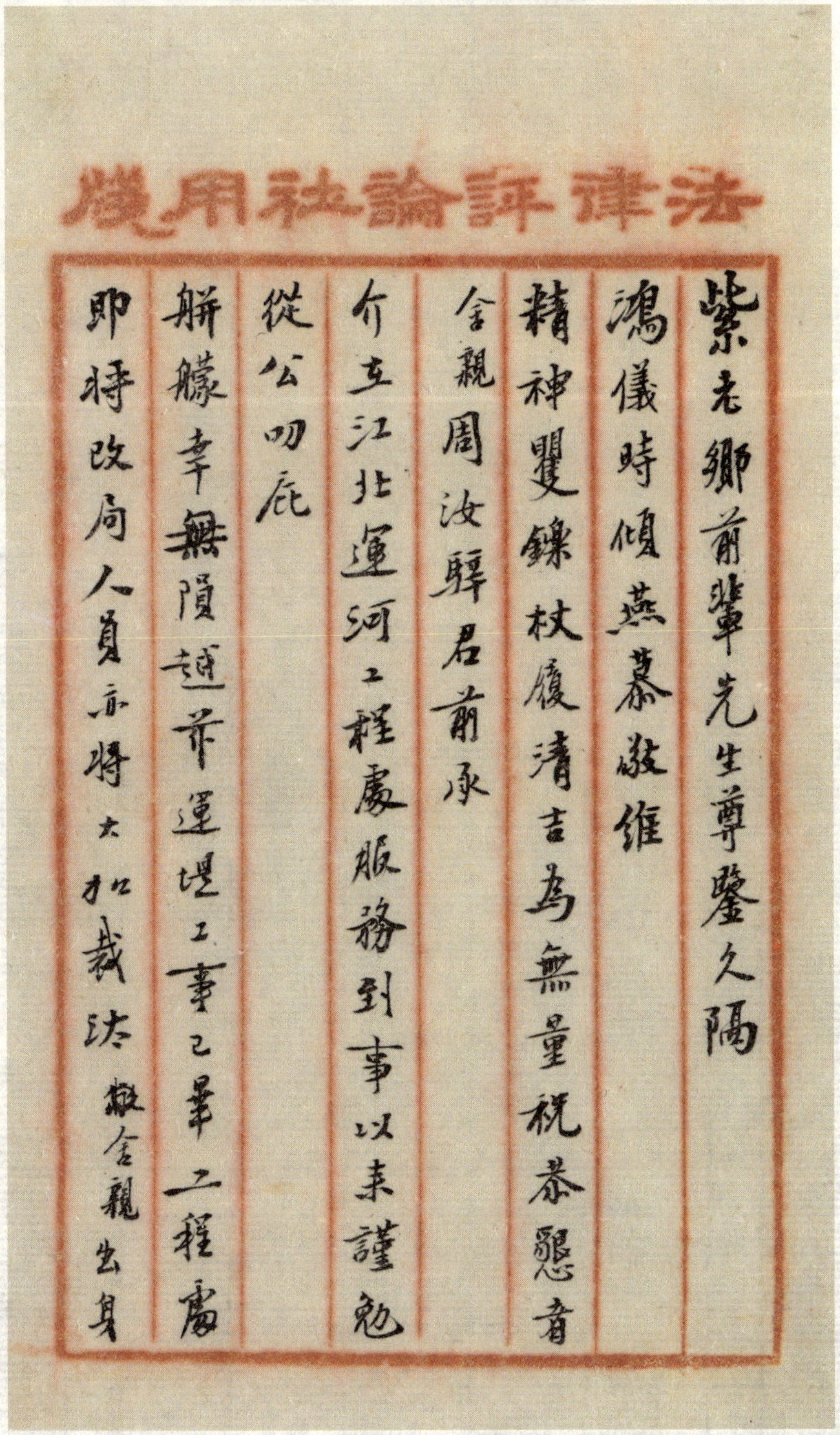

紫老鄉前輩先生尊鑒：久隔
鴻儀，時傾燕慕。敬維
精神矍鑠，杖履清吉，為無量祝。恭懇者：
令親周汝驊君前承
介立江北運河工程處服務，到事以來，謹勉
從公，叨庇
帡幪，幸無隕越。第運堤工事已畢，工程處
即將改局，人員亦將大加裁汰。擬令親出身

夏勤（一八九三—一九七五）江蘇泰縣人，曾任南京國民政府最高法院庭長、院長、司法行政部常務次長、大法官，并爲江泰輪船公司創辦人。

韓國鈞朋僚墨迹

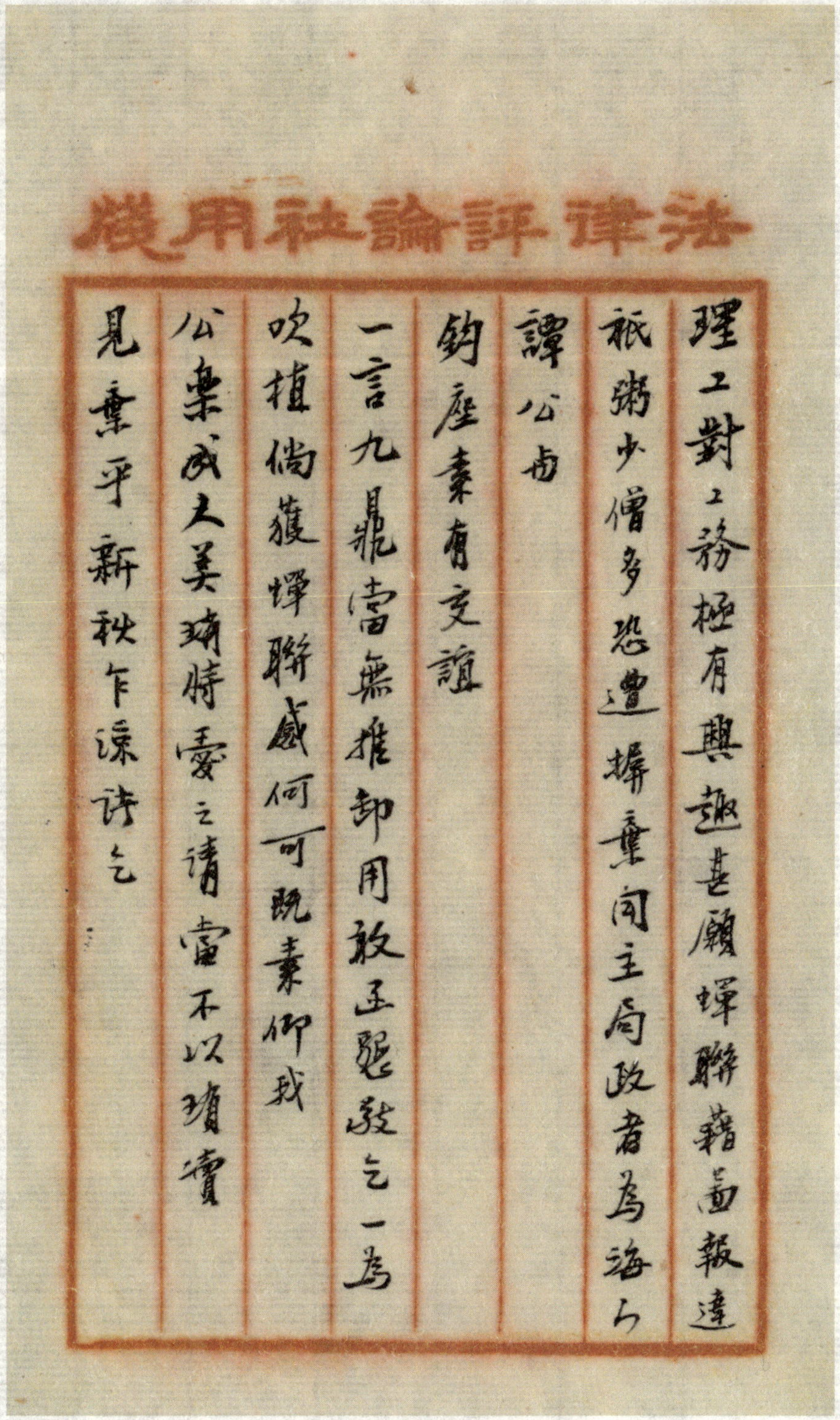

法律評論社用箋

理工對工務極有興趣甚願擇聯藉函報達
祇粥少僧多恐遭擯棄聞主局政者為海內
譚公亩
鈞座素有交誼
一言九鼎當無推卻用敢逕懇設乞一為
吹植倘獲擇聯感何可既素仰我
公樂成人美瑣特凂之請當不以瑣瀆
見棄乎新秋乍涼諸乞

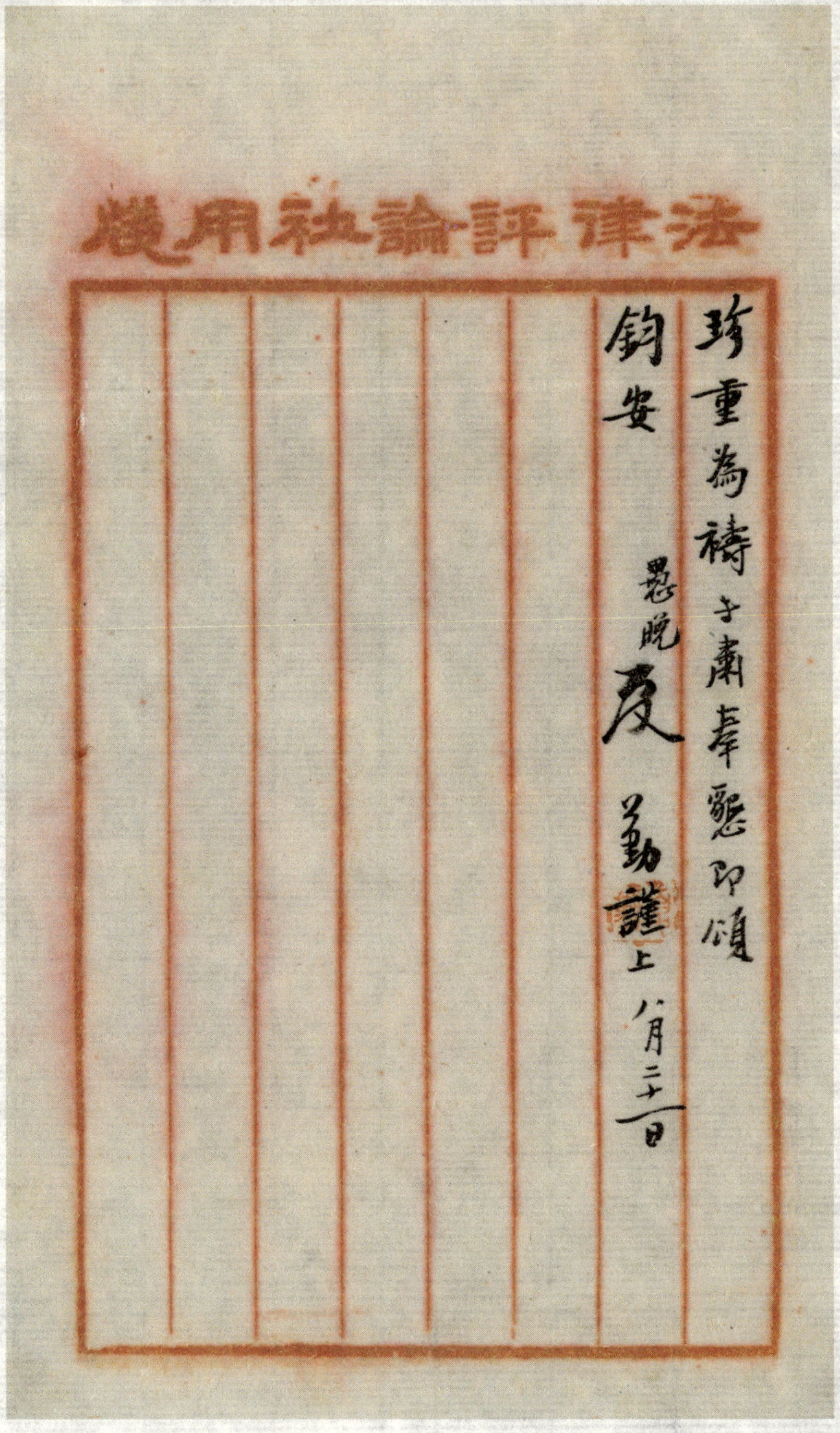

法律評論社用箋

珍重為禱耑肅奉懇即頌
鈞安
愚晚夏勤謹上 八月二十日

名人手札

鄭肇經（一八九四－一九八九）江蘇泰興人，曾赴德國進修水利工程，民國年間曾任全國經濟委員會水利處處長、中央水工試驗所所長、水利實驗處處長、水利部顧問等職。

全國經濟委員會水利處用牋

第　頁

止公世伯大人崇鑒頃奉
尊示敬悉年来潦旱頻仍瘡痍遍地根本籌治
不容再緩故國府有统一水政之舉我
公眾望所歸出膺議席不勝慶幸之至津門黃
河水利會議決案僅粗舉大綱尚無具體辦法
閱於黃河之治本工程黃河水利會正在規畫須俟
計畫完成始能進行　儀祉先生對於修防方面
頗具决心積極進行亦治標之一法也陝西引渭

中華民國　年　月　日

處址 南京鐵湯池　電話 二三二九八　電報掛號 三〇七四

名人手札

全國經濟委員會水利處用牋

第　頁

借款已有成議其計畫係在郿縣築堰開渠東
迄咸陽可灌渭北田地六十萬畝魯省虹吸管放
淤尚着成效蓋自黃河奪清入海隄外田地宣
洩不暢咸化為斥鹵出產低薄民困日深今
利用黃河淤泥灌溉蓋其上即頓成良田且虹
吸管放淤較涵洞穏當對於堤防並無弊害
六朝會要如有人願抄寫代印甚感吳寄塵
君是何許人請介紹與　經接洽為荷專此肅

中華民國　年　月　日

處址 南京鐵湯池　電話 二三二九八　電報掛號 三〇七四

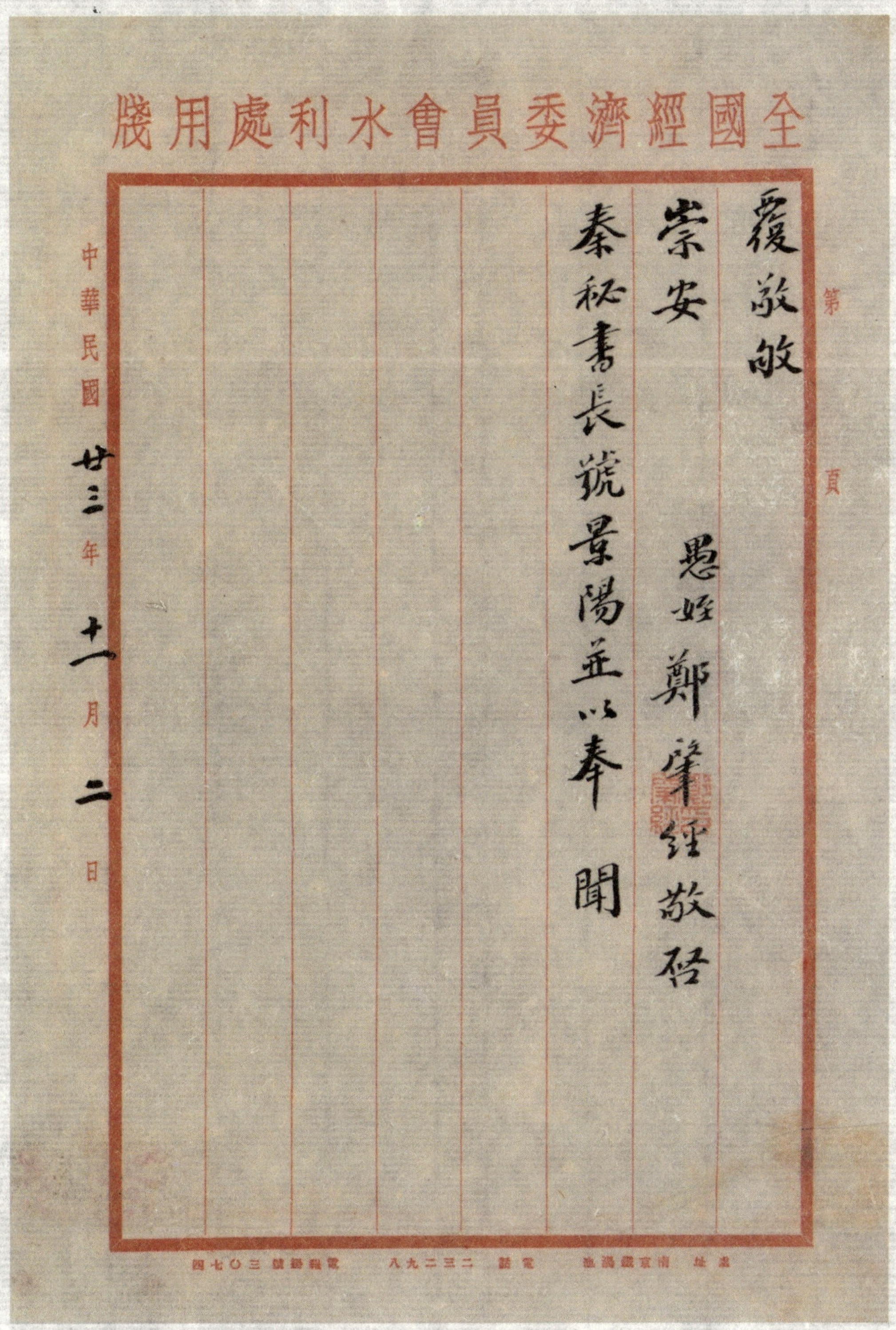

全國經濟委員會水利處用箋

履敬敏

崇安

愚姪鄭肇經敬啓

秦秘書長號景陽並以奉聞

中華民國廿三年十一月二日

第　頁

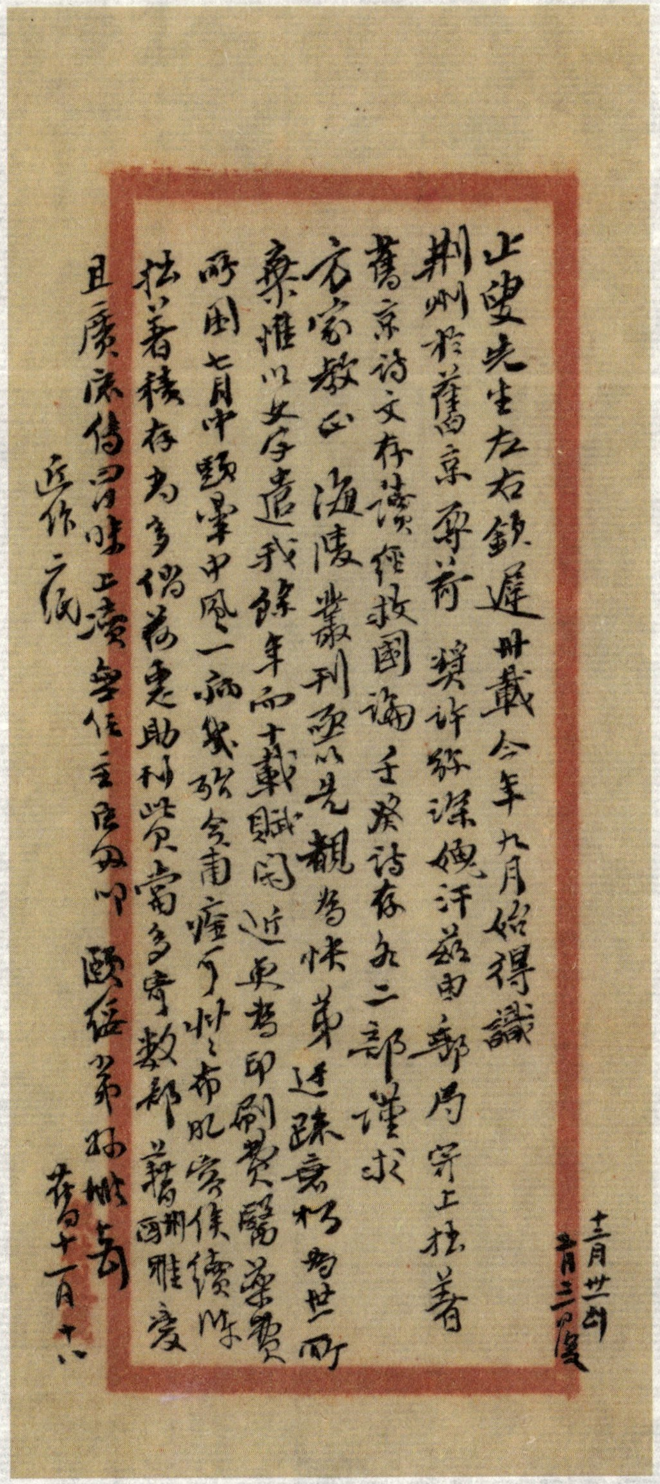

止叟先生左右欽遲卅載今年九月始得識
荆州於舊京承蒙獎許猥深愧汗茲由鄭君守上拙著
舊京詩文存讀經救國論壬癸詩存各二部謹求
方家教正海陵叢刊業已先睹為快第[illegible]為世所
棄惟以文字遣我餘年而十載賦閑近更為印刷費醫藥費
所困七月中[illegible]中風一病幾殆今甫痊可[illegible]
拙著積存尚多倘荷惠助[illegible]當多寄數部藉酬雅愛
且廣流傳[illegible]上瀆[illegible]
近祺[illegible]
[illegible]弟孫雄[illegible]十一月十八

十二月廿一到
十二月三十日復

孫雄（一八九五—？）湖南平江人，民國年間，曾長期從事監獄看守工作，任上海第二特區監獄典獄長、地方法院看守所所長、上海法政學院監獄專修科主任。

名人手札

韓國鈞朋僚墨迹

余井塘（一八九五—一九八五）江蘇興化人，民國年間曾任江蘇省政府委員兼民政廳長，組織四十萬民工參加導淮工程，曾任國民政府教育部常務次長。

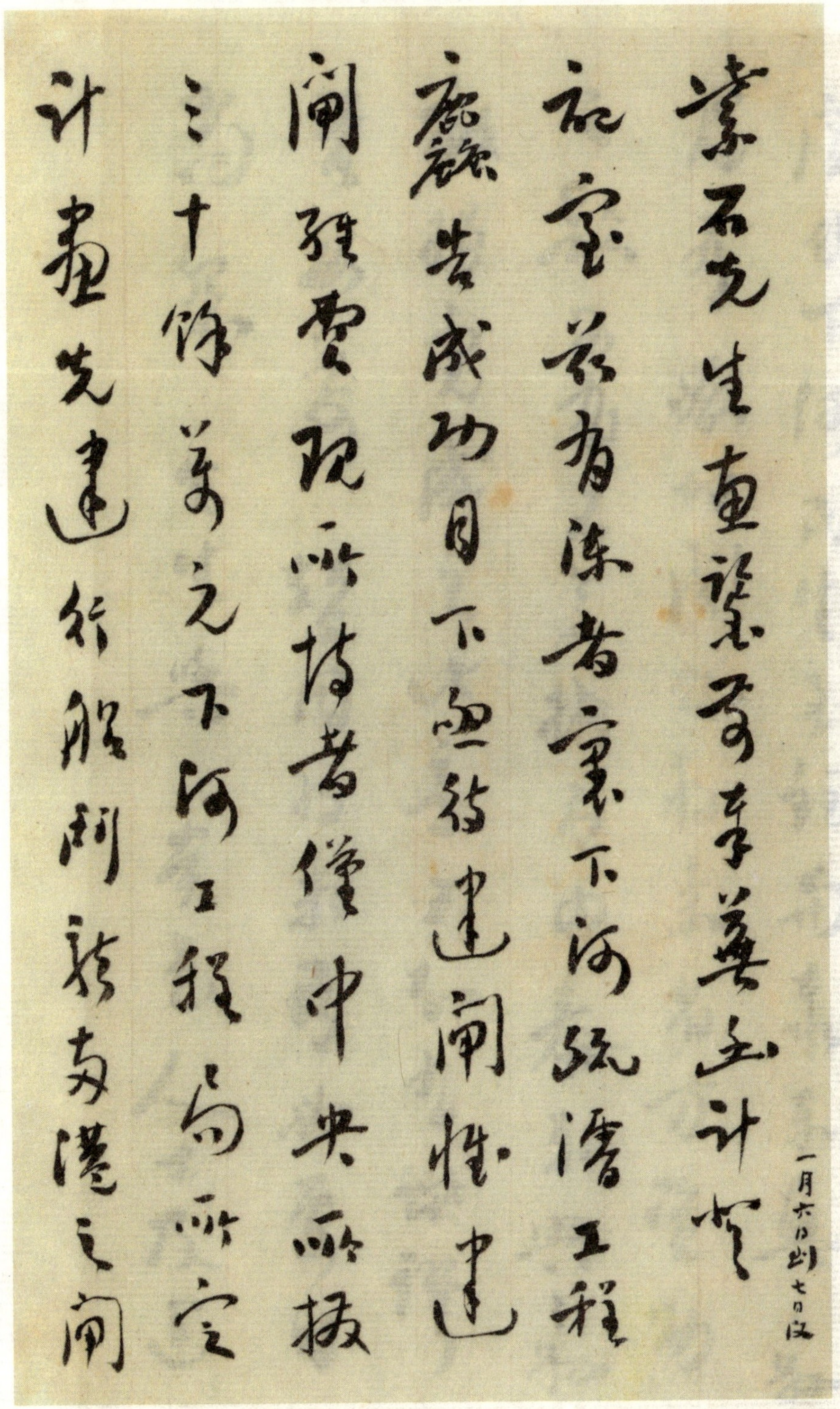

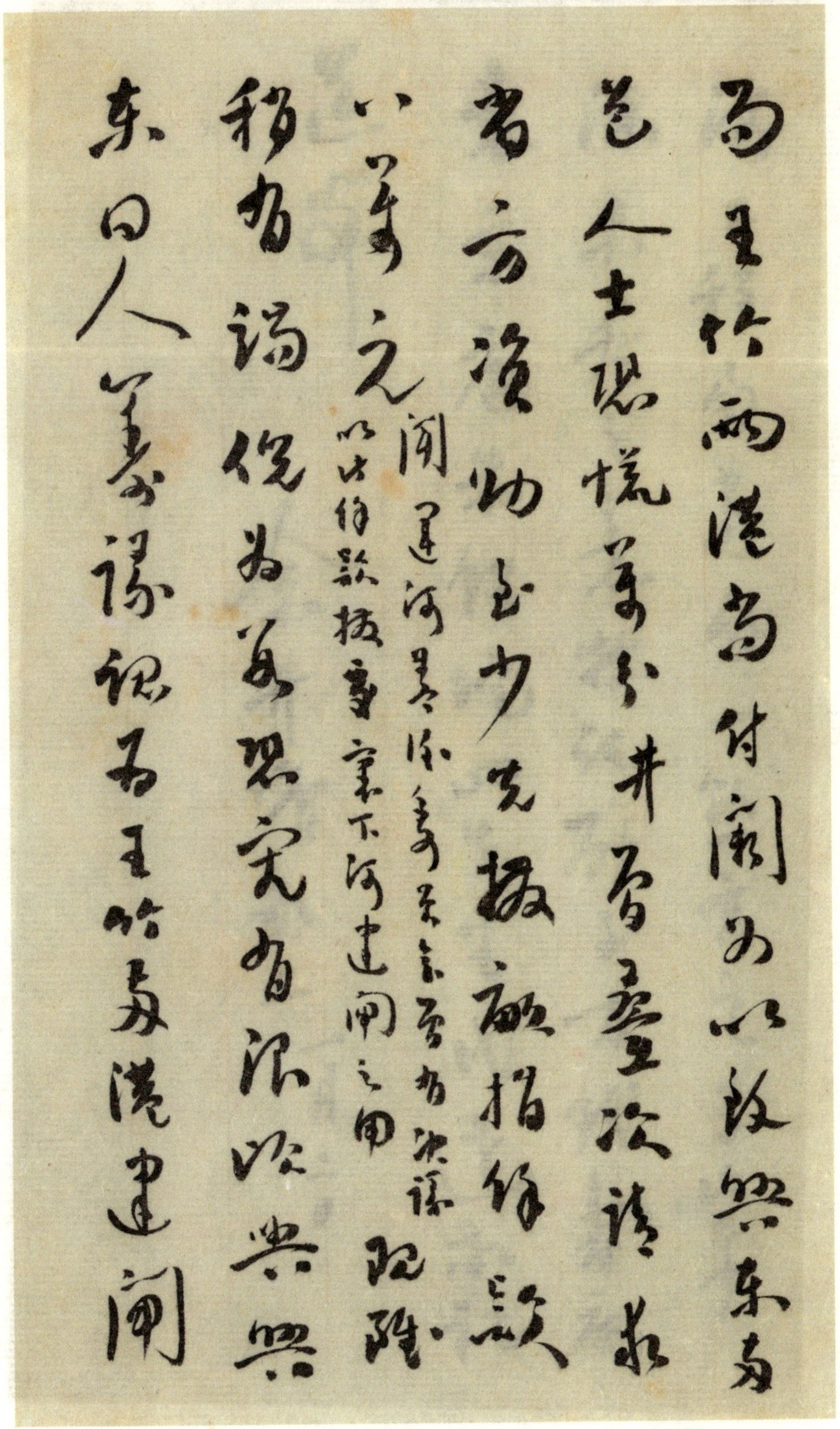

張孝若（一八九五—一九三五）江蘇南通人，在美國留學歸國後，協助其父張謇經營各項事業，後繼任大升紗廠董事長、大達輪船公司經理、南通學院院長、南通女子師範學校校長等職。

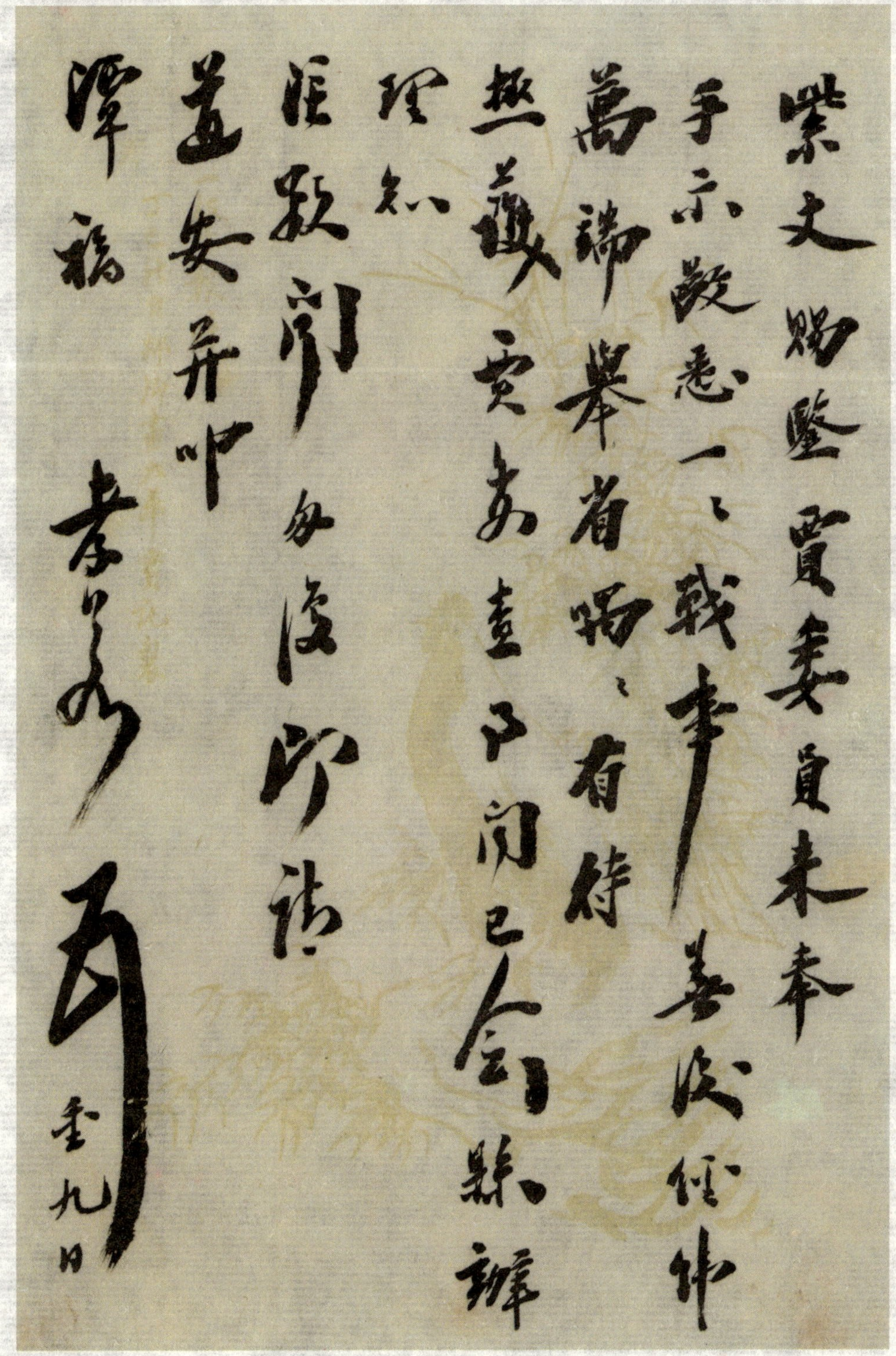

名人手札

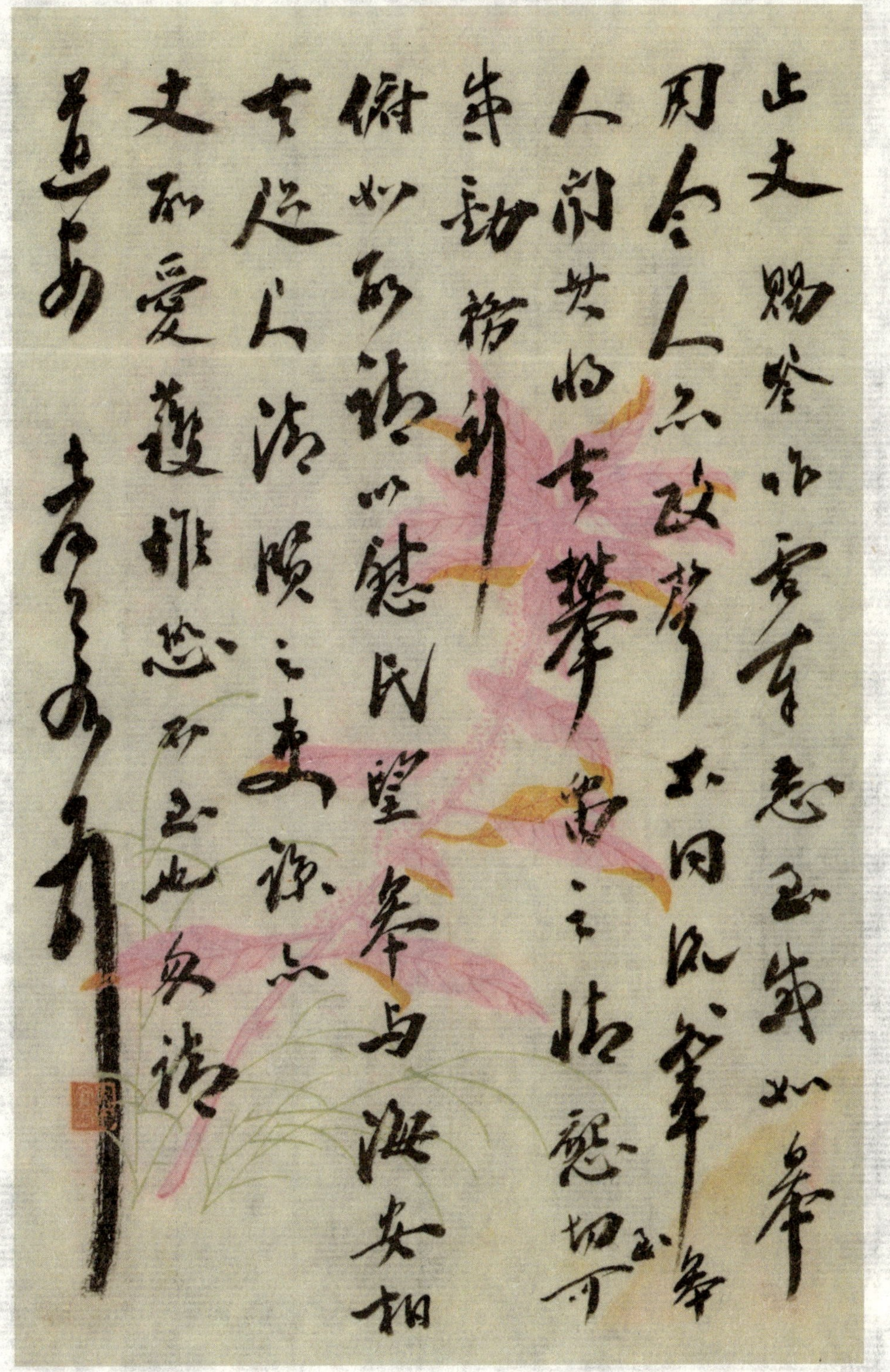

沈百先（一八九六—一九九〇）浙江湖州人，陳立夫的姐夫。曾籌劃組建中國水利工程學會，任國民政府導淮委員會副委員長、水利部政務次長。

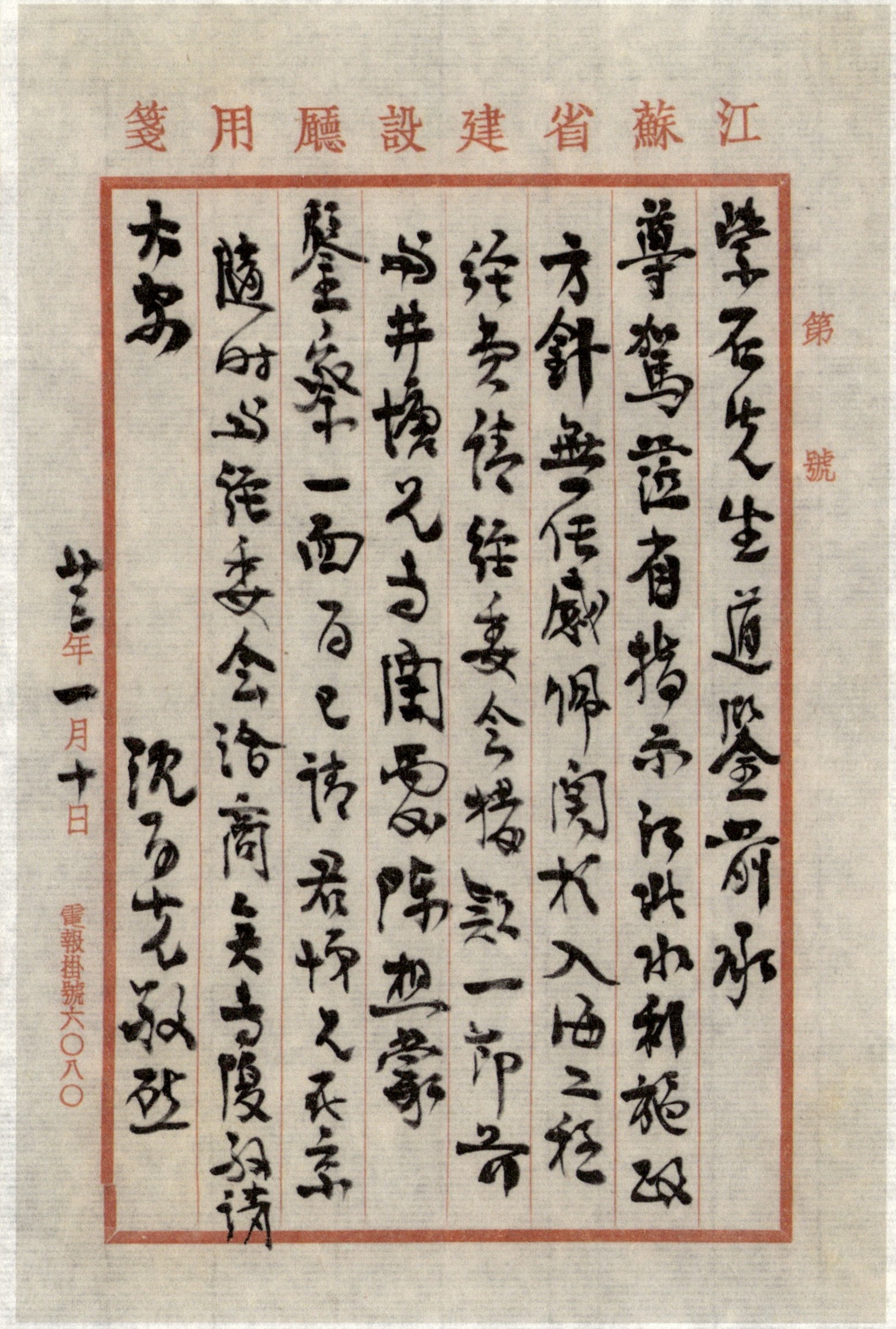
江蘇省建設廳用箋

第　號

紫石先生道鑒：前承
尊駕蒞省，指示江北水利，總以
方針，無任感佩。關於入海之經
經費，俟經委會指款一節，前
由井塘兄面商，關要除想蒙
鑒察。一面已請君怡兄來京，
隨時與經委會洽商矣。專復，敬請
大安

沈百先敬啓

廿三年一月十日

電報掛號六〇八〇

邰爽秋（一八九六—一九七六）江蘇東臺人，曾赴美國學習教育，回國後，大力提倡民生教育，在農村開展民生教育實驗，與晏陽初、梁漱溟、陶行知并稱爲中國教育界『四大怪杰』。

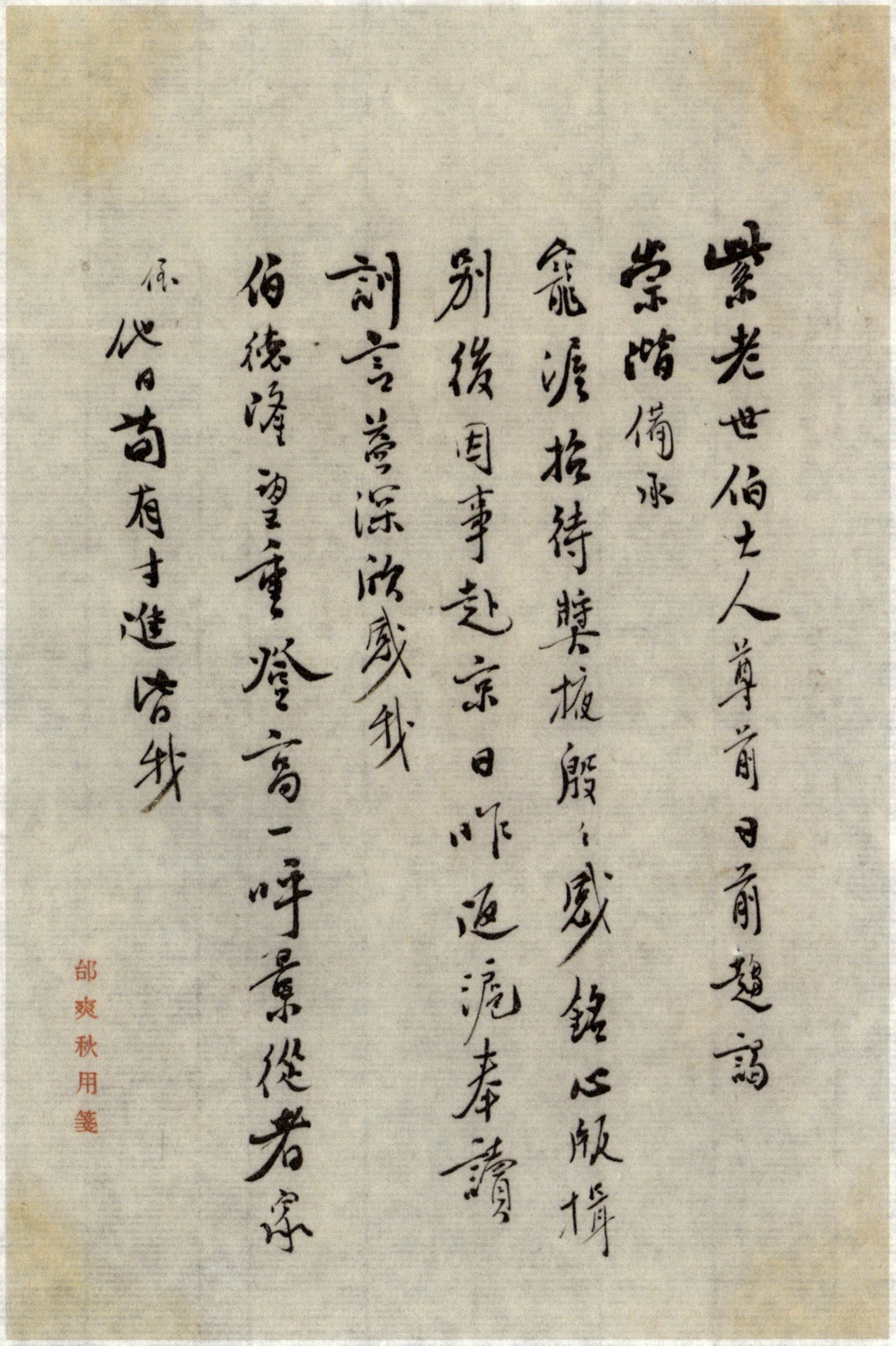
紫老世伯大人尊前：日前趨謁
崇階，備承
寵渥，拉待獎掖，殷殷感銘心版。揖
別後因事赴京，日昨返滬，奉讀
訓言，益深欣感。我
伯德隆望重，登高一呼，景從者衆。
係代日苟有寸進，皆我

邰爽秋用箋

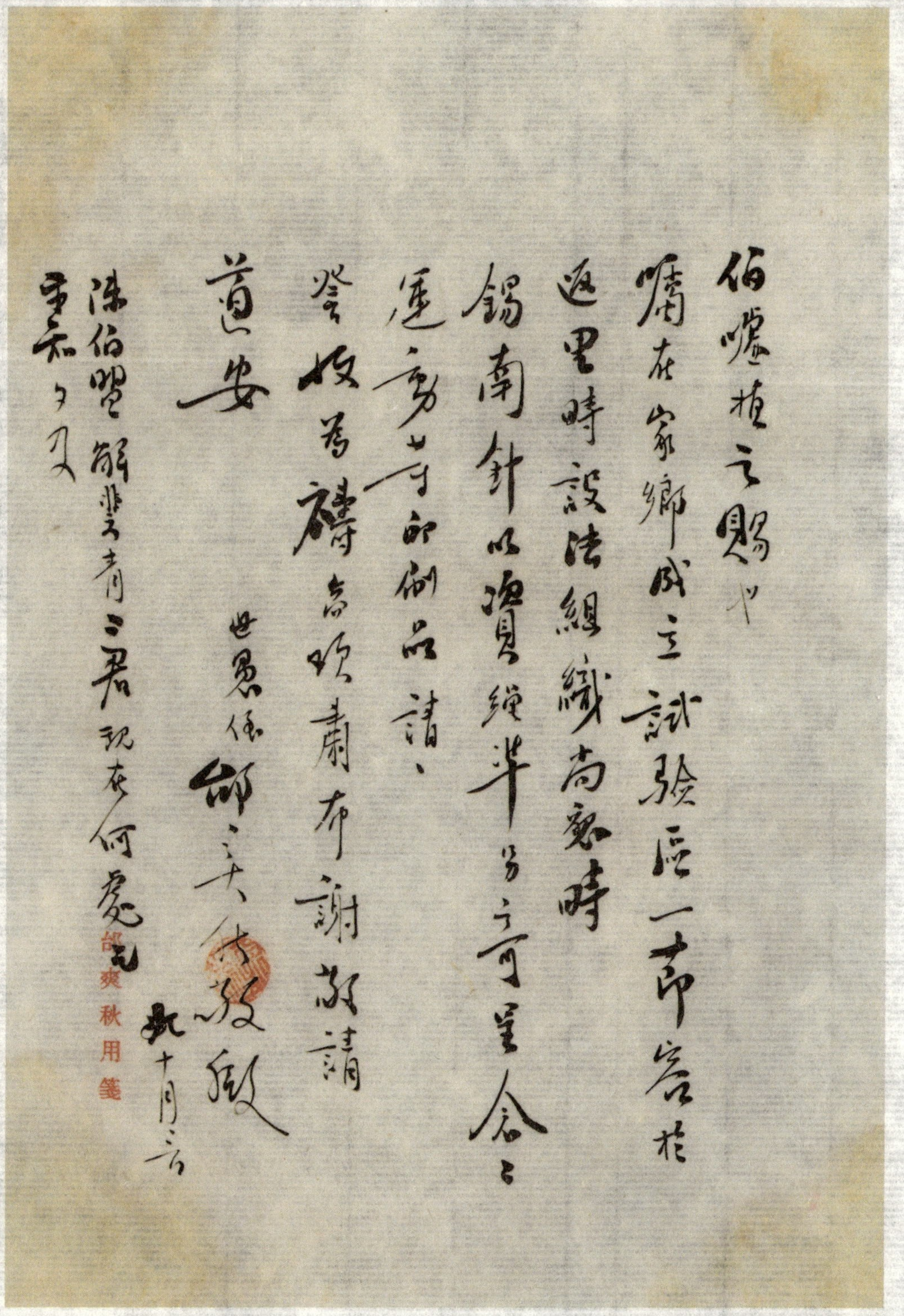
伯懷揖之賜鑒：
囑在家鄉成立試驗區一節，容於
返里時設法組織，尚希時
錫南針，以資遵循。半年以來，全人
運動方案可觀，請
呈收為禱。當肅布謝，敬請
道安
世愚侄 邰爽秋頓
十月六
沐伯賢、解叢青二君現在何處，乞示知為叩。

邰爽秋用箋

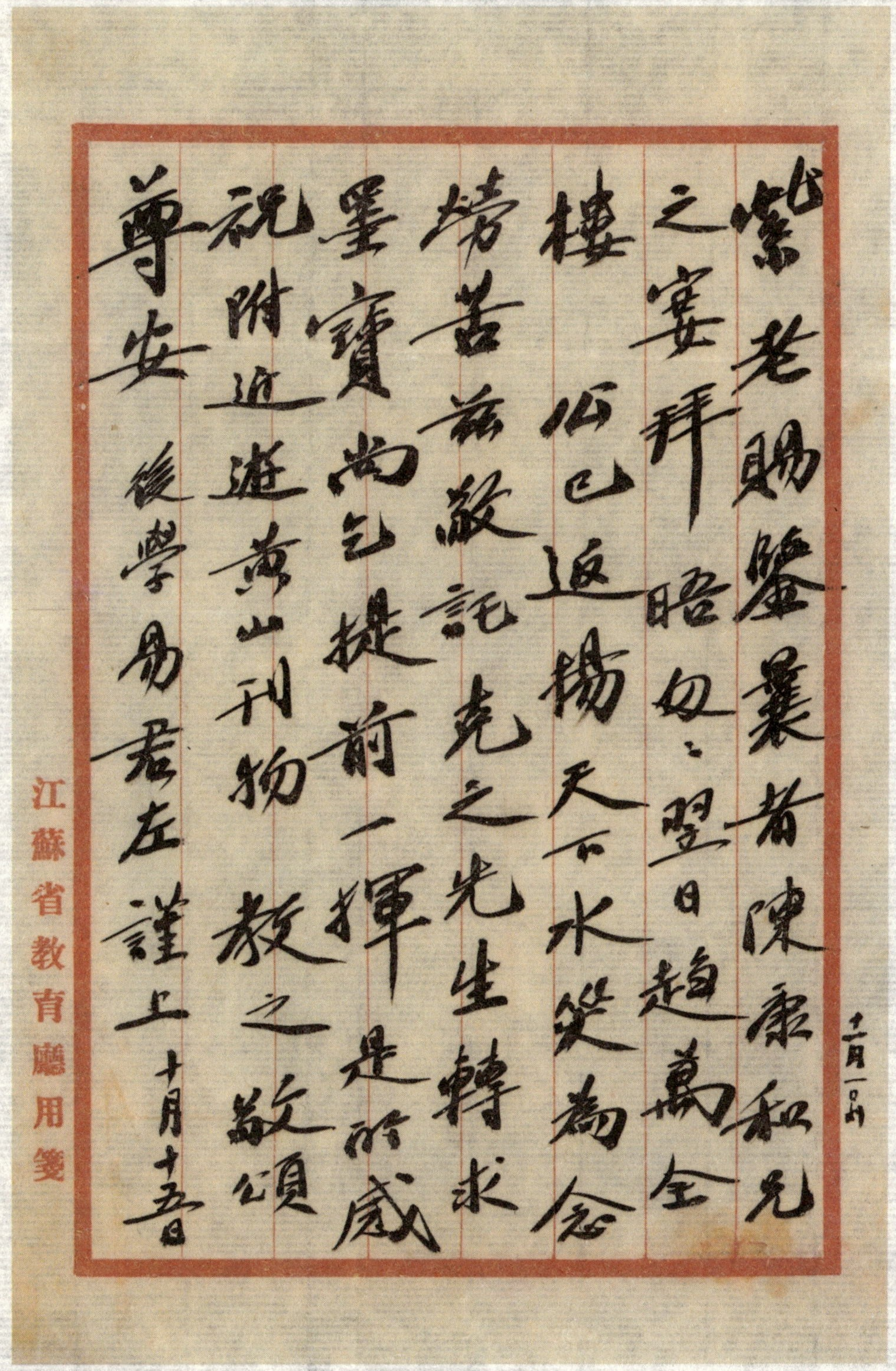
紫老賜鑒：曩者陳康和先
之宴，拜晤匆匆，翌日趨萬全
樓，公已返揚。天下水災為念，
勞苦茲救，託克之先生轉求
墨寶，尚乞提前一揮，是所感
祝。附近遊萬山刊物，敬之。敬頌
尊安
後學易君左謹上 十月十五日

十月一日

江蘇省教育廳用箋

易君左（一八九八—一九七二）湖南漢壽人，曾與李大釗等人發起組織少年中國學會，加入社會主義研究會，抗戰時任國民黨中央宣傳部專員、文化運動委員會委員。

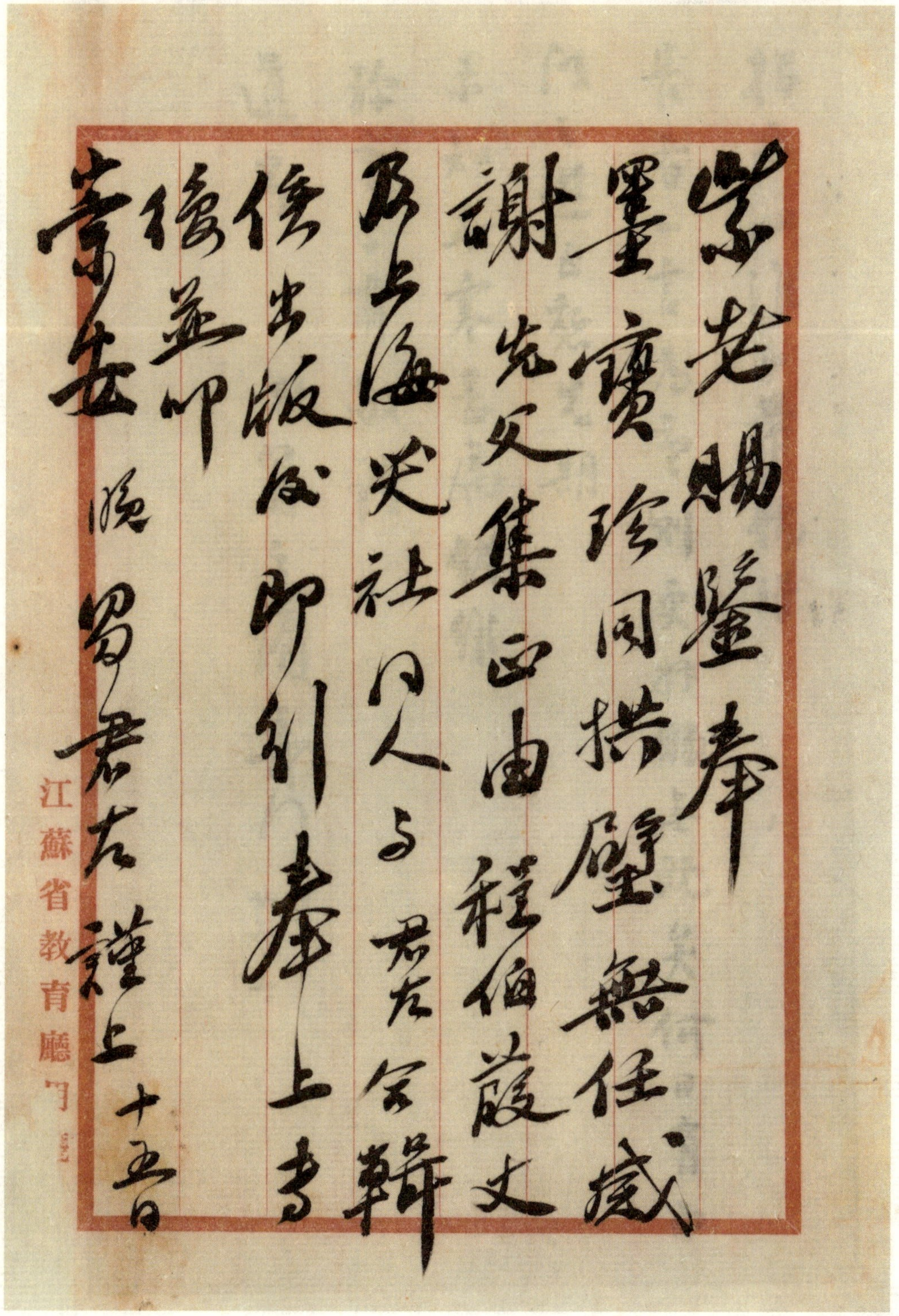

紫老賜鑒：奉
墨寶，珍同拱璧，無任感
謝。先父集正由程伯葭丈
及上海哭社同人與 君左會辦，
俟出版後即行奉上。專
復，並叩
崇安。 晚易君左謹上 十五日

江蘇省教育廳用箋

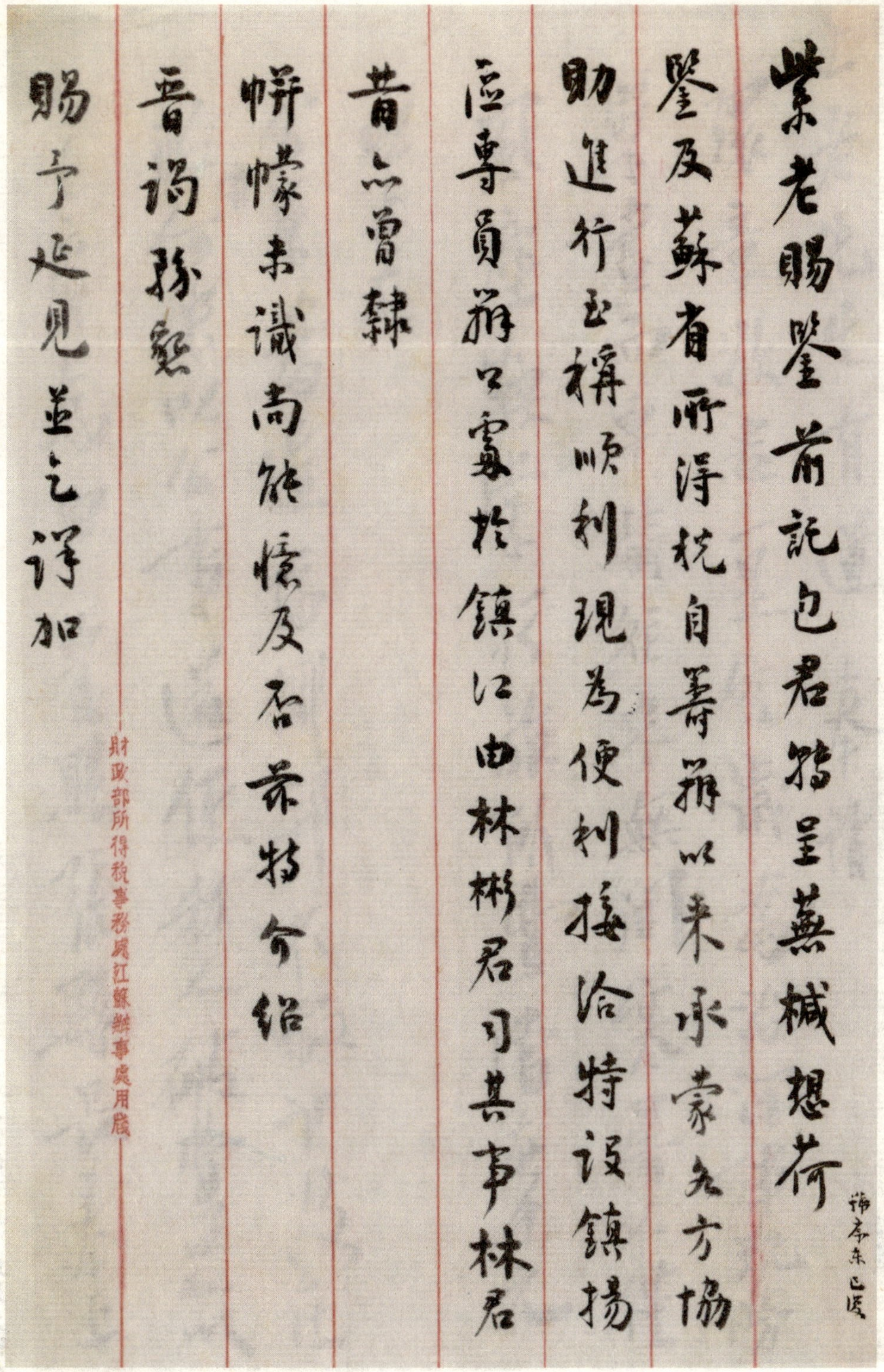

紫老賜鑒：前託包君賫呈蕪緘，想荷
鑒及。蘇省所得稅自本年一月起，承蒙允予協
助，進行至稱順利，現為便利接洽，特設鎮揚
區專員辦公處於鎮江，由林彬君司其事。林君
昔亦曾隸
帡幪，未識尚能憶及否？茲特介紹
晉謁，務懇
賜予延見，並乞詳加

翁序東已復

財政部所得稅事務處江蘇辦事處用箋

翁之鏞（一九〇一—一九七三）江蘇常熟人，曾任常熟縣教育局局長、國民政府實業部農本局秘書，抗戰時期任屯糧委員會執行秘書，勝利後任農業銀行金融設計委員會主任秘書。

韓國歷代名筆全集

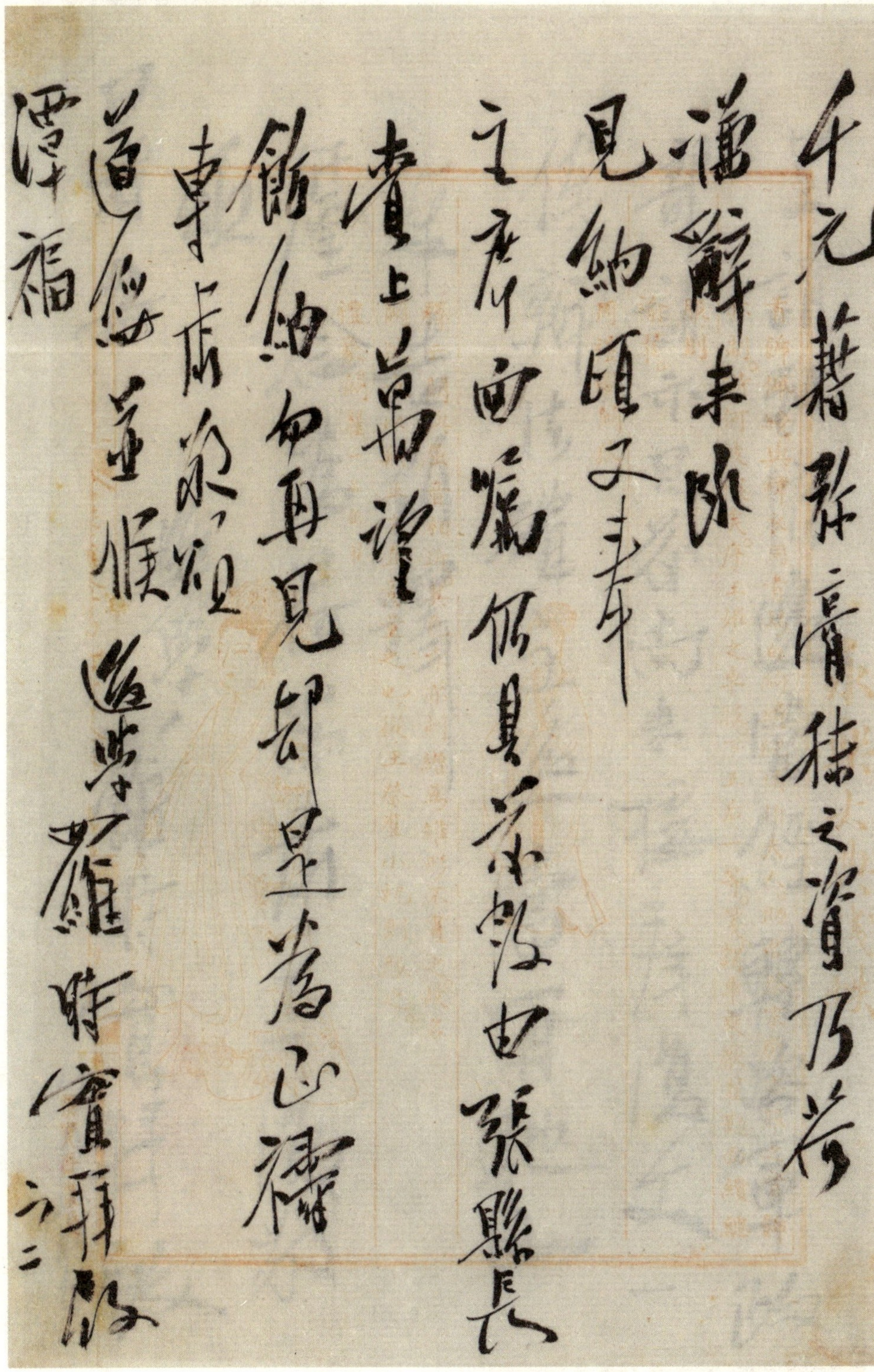

千元藉舒膏秣之資，乃蒙
謙辭未收。
見納頃又奉
之府面囑，仍具呈敬由張縣長
賚上，萬望
俯納，如再見却，是為至禱。
專肅敬頌
道安，並候
潭福。
遜峰　羅時實拜啟　六二

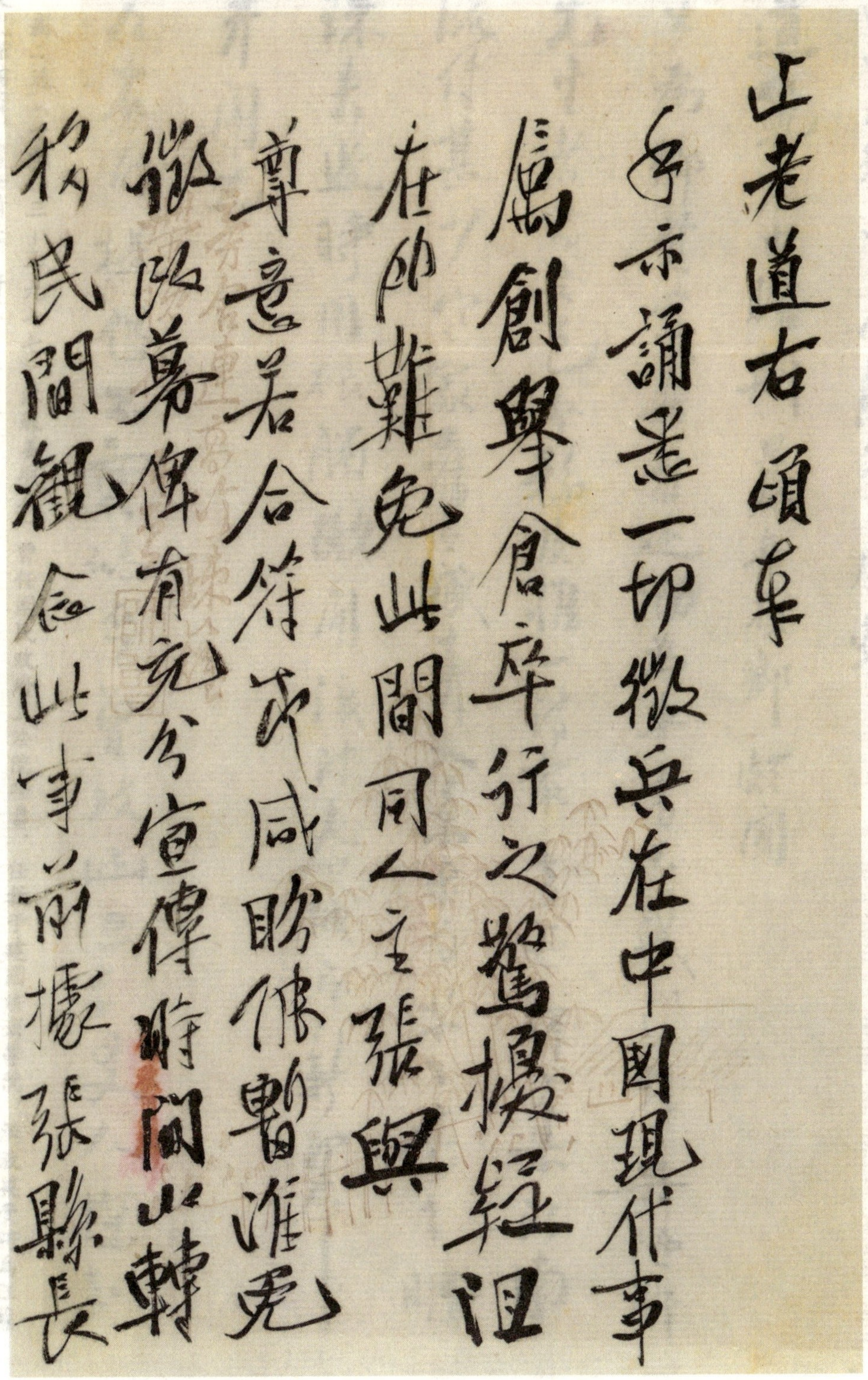

止老道右：頃奉
手示，誦悉一切。徵兵在中國現代事
屬創舉，倉卒行之，驚擾疑阻
在所難免。此間同人主張與
尊意若合符節，咸盼依照暫准免
徵，改募集，俾有充分宣傳時間，以轉
移民間觀念。此事前據張縣長

名人手札

韓國鈞朋僚墨迹

底蘊久未得覆且亡粗本不知遍行何氏嘆之
士不悅學風雅道衰乃如此耶對胃函馳
懇究竟該書何處有售價幾何敬
乞轉託代致原集紙價若干以志因緣俾得多讀
誦頌望如
了當不以為煩瑣乎臨帖蒼惶不任叩頭之至祗頌
道安伏惟
霽照又老
東之弟晚京二通頓首
謝告

止叟先生尊鑒奉
書以眼疾致稽裁答至為歉仄近來
宋人詩如黃山谷王廣陵等集不易覓到
尊囑尚意后山集久已搜尋頃更切托
狀元境書賈到滬訪購聞滬上四馬路有號存尚乞
以報
命也凡古人詩固非今時之所需然坊間
三家災梨棗之籍又復汗牛充棟積人

韓國鈞朋僚墨迹

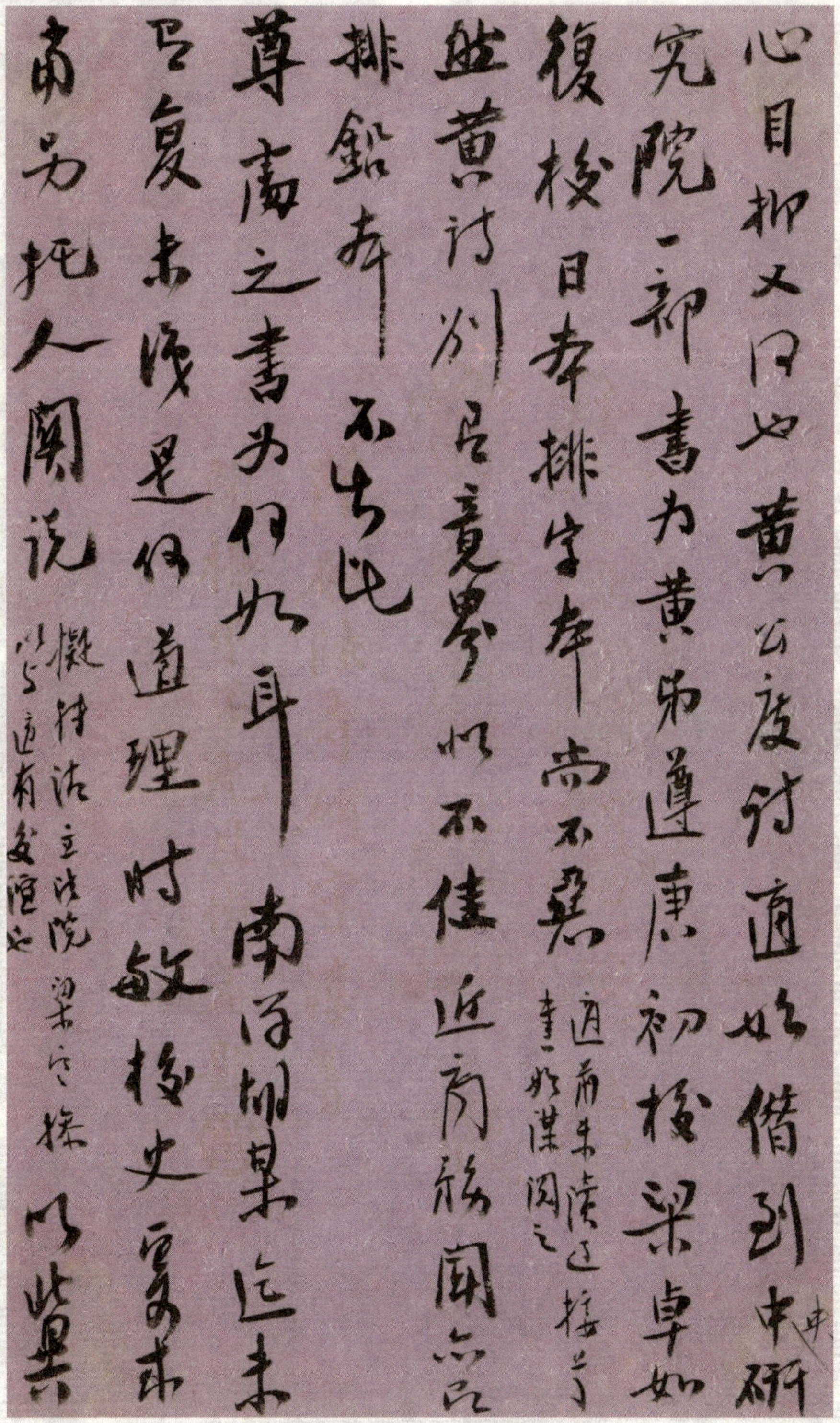
心目抑又曰也黄公度詩直如借到中研
究院一部書為黄所遵康初校梁卓如
復校日本排字本不免 迥前未讀過梁君手書外供閲之
然黄詩別只竟誤以不佳近有國風
排鉛本 不堪比
尊處之書為何如耳 南洋胡某近来
已復來滬是何道理時敏校史寡來
南另托人閲說 以冀
擬抄沽王五洲近有安涅也

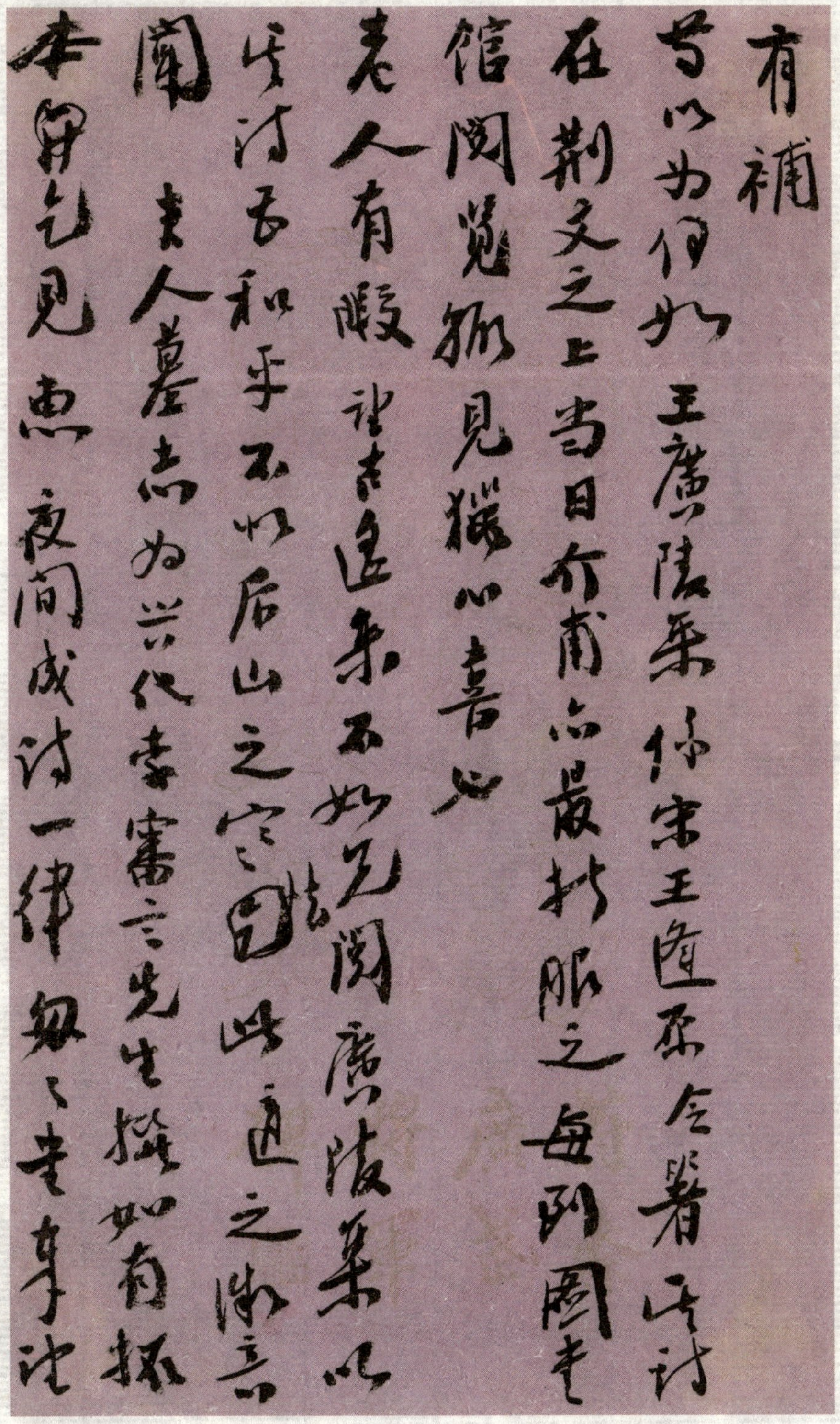
有補
可以為何如 王廣陵集係宋王逢原令著 其詩
在荆文之上 當日介甫亦最推服之 每所留意
館閲覧頗見孫心喜也
老人有暇 望書過來不如先閲廣陵集以
其詩與和平不似后山之定 因此返之陸高
閣 尊人墓志為興化李審言先生撰 如有拓
本 甚已見惠 夜間成詩一律 錄之老弟法

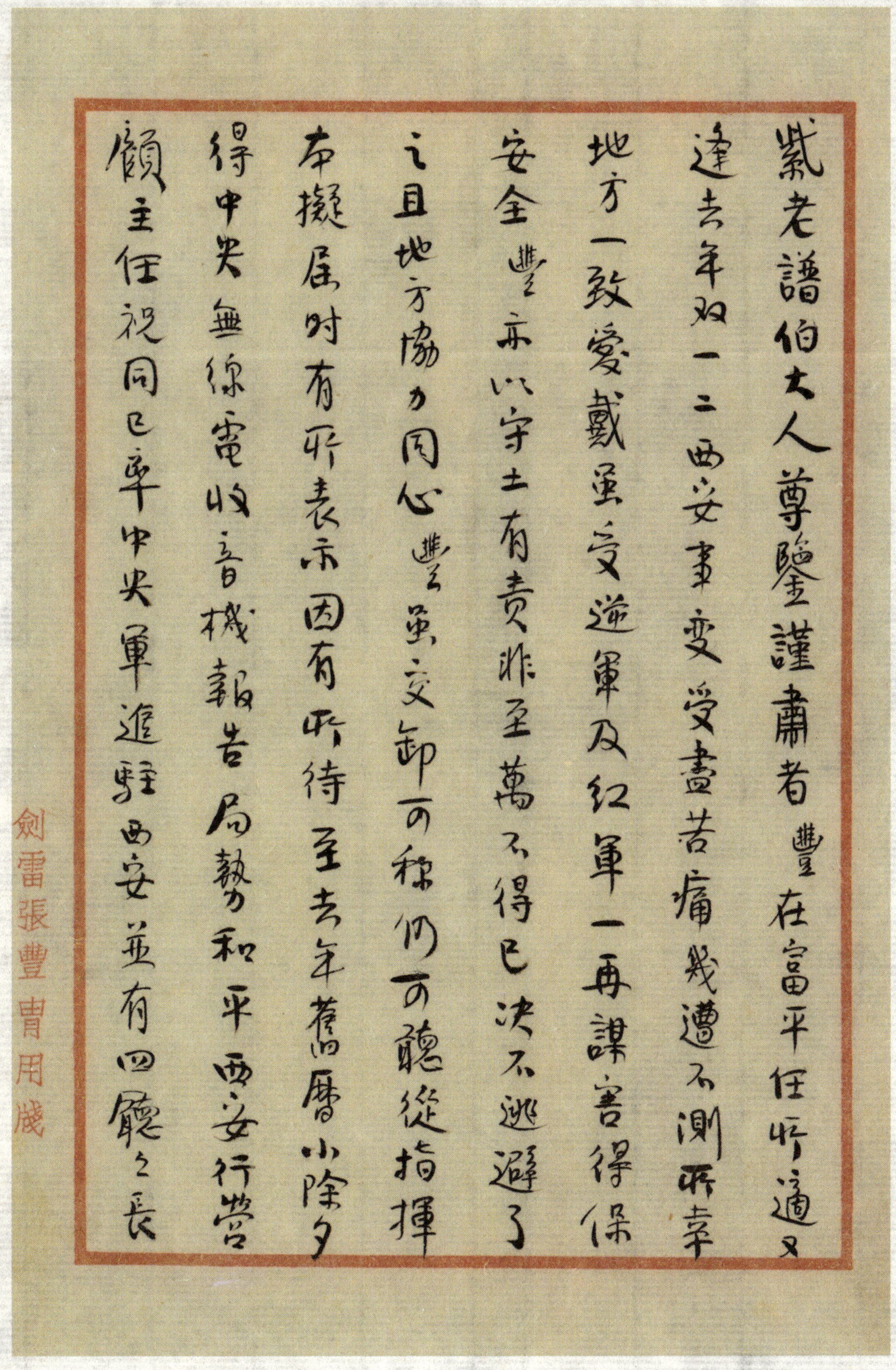
紫老譜伯大人尊鑒：謹肅者，豐在富平任所，適又逢去年雙十二西安事變，受盡苦痛，幾遭不測，所幸地方一致愛戴，雖受逆軍及紅軍一再謀害，得保安全。豐亦以守土有責，非至萬不得已，決不逃避了之，且地方協力同心。豐雖交卸，可稱仍可聽從指揮，本擬屆時有所表示，因有所待，至去年舊曆小除夕得中央無線電收音機報告，局勢和平，西安行營顧主任祝同已率中央軍進駐西安，並有四廳之長

張豐胄（一九〇七－二〇〇五）江蘇江陰人，抗戰時期曾任國民黨中央軍委政治部研究員，後曾作爲邵力子的秘書，參加國共和談。解放後曾任民革中央委員。

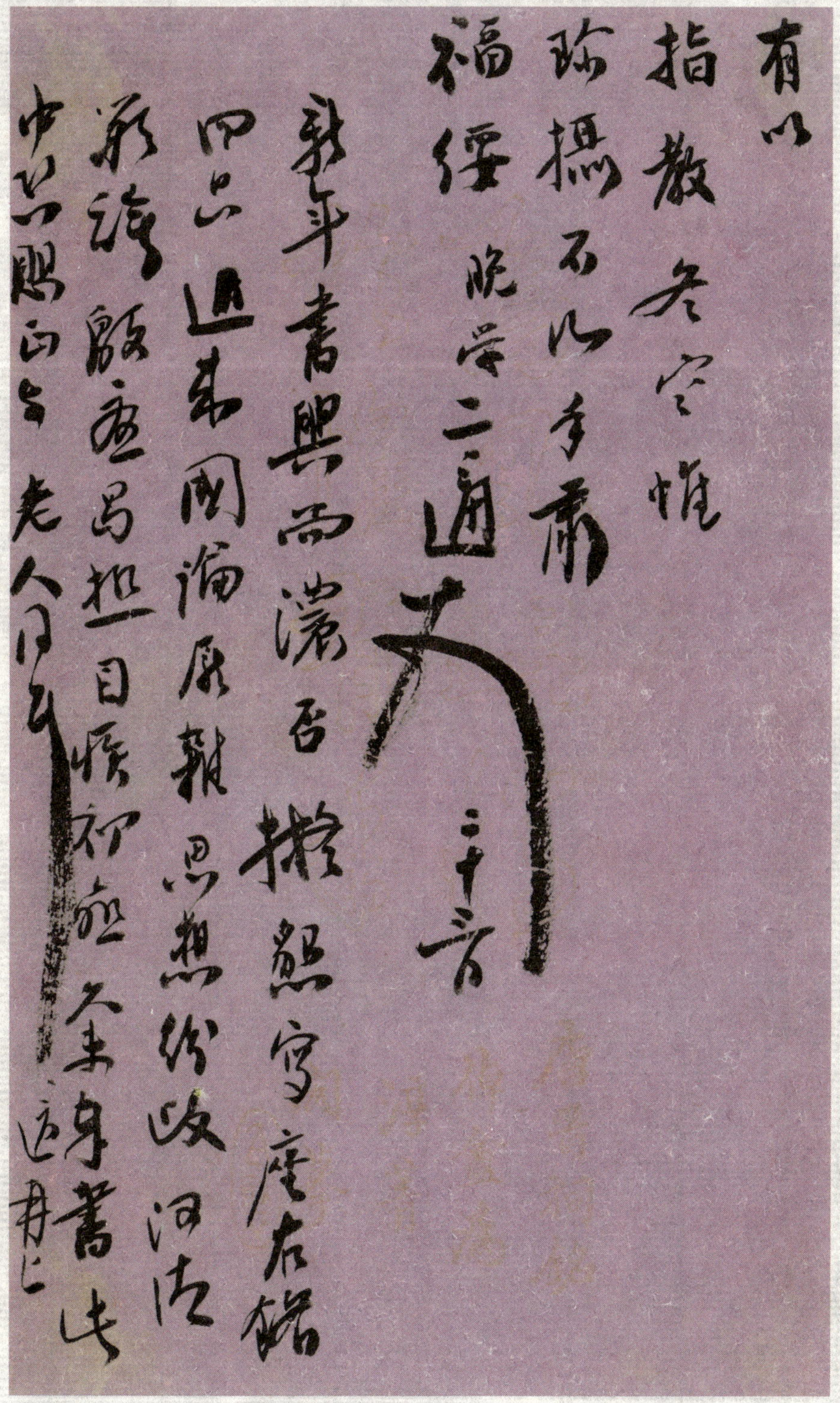
有以指教，無任惶悚。揭不盡，手肅，祇頌福綏。晚學二適頓首 二十五日

新年書與高潞否？擬懇寫座右銘四字，迺來因論原韻，思想紛歧，河清難俟，願為君擔日月，慎初應[illegible]人身書也。中州照西[illegible]老人[illegible] 適再上

復職消息乃新任劉縣長大恐惟恐豐亦即復
任因一再表示悔悟懇豐幫忙同時地方即公推豐
到省謁鈞主任報告請求一切乃於翌日晨在地方
歡迎聲中經三原在變亂退兵中冒險到達西
安元旦晨到行營謁鈞主任接洽一切為免意
外枝節計（蓋城防仍在十七路軍手秩序未復）因於
當晚夜車離陝返京報告一切今者行政院明令
民建兩廳長回任縣長一到復職
邵主席看來

劍雷張豐胄用箋

不得不就任中宣部長之職豐日前蒙 邵彭
諸公意亦叫回陝但本心実已不願今且民廳長
彭公昭賢尚在固辭中同時豐已於日前蒙行政
院翁秘書長面允可另予分發鄰近省區任用
刻正留京稍待機會不日或有省府之改組若
皖浙等省豐又有意往粵省一試以王民廳長
本為陝省保安處長比較亦稍熟識但人地是否
相宜正在考慮中素蒙

劍雷張豐胄用箋

張鳳臺（?—一九二五）河南安陽人，清末曾任知縣、知府等職。民國時期曾任河南省財政司司長、民政長、河南省省長、參議院議員。

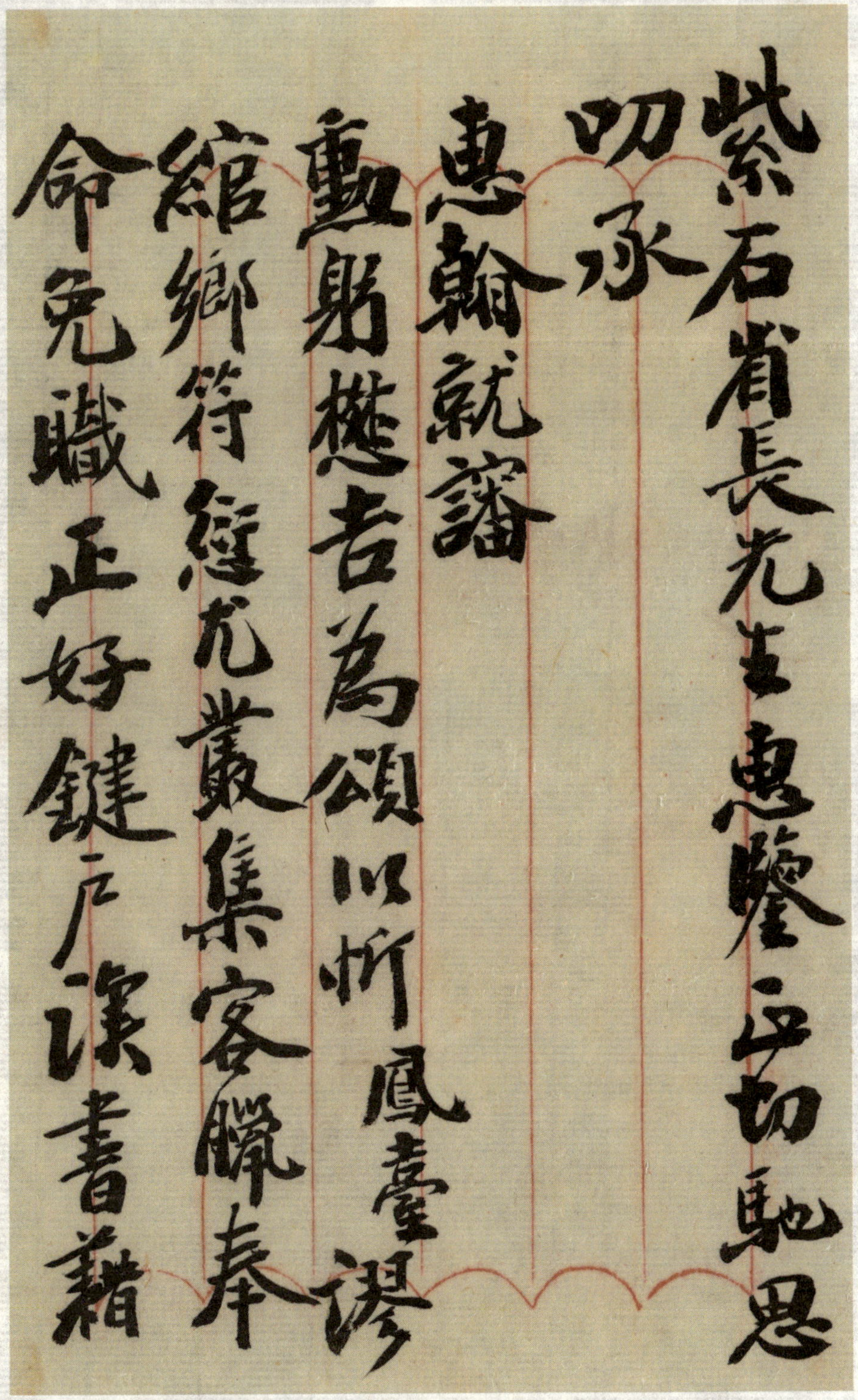

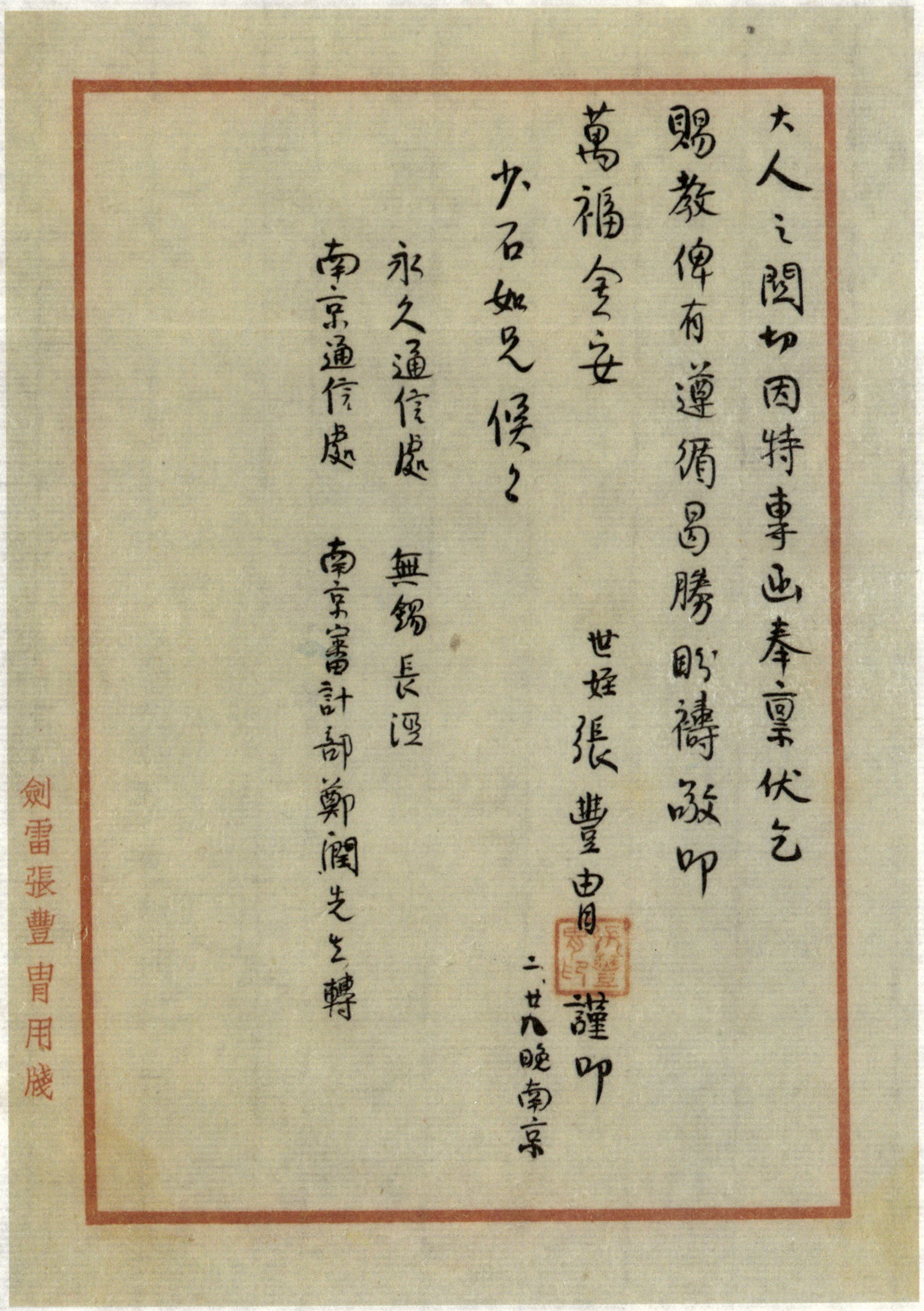

牘前懇茲復仰蒙
獎飭感愧交深承
索中州雜俎已囑遵即檢查
行篋所有僅存十部已被同
人賺去無餘未能及時呈
鑒抱歉奚如現已函致省垣

名人手札

通志局劉協修怡宣趕覓
貳部寄來以便轉呈
台鑒當不至悞知
注預 聞手此順頌
勳祺諸惟
亮照不宣 張鳳臺謹上
夏正清明節